現代中国の精神史的考察

繁栄のなかの危機

栄剣［著］

石井知章［監訳］

阿古智子
麻生晴一郎
及川淳子
大熊雄一郎
古畑康雄
村上太輝夫
劉燕子［訳］

白水社

現代中国の精神史的考察——繁栄のなかの危機

装幀＝コバヤシタケシ
組版＝鈴木さゆみ

現代中国の精神史的考察＊目次

Ⅲ　社会批判　159

凡例

一、本書は、栄剣『新盛世危言――栄剣時政評論録：2012―2020』博登書屋、二〇二〇年を日本の読者向けに編集したものである。

一、本文中の「　」、（　）は原著者によるものである。

一、訳者による補足および簡単な訳注はすべて〔　〕で括って挿入した。

序

アンドリュー・J・ネイサン

中国にとって、まちがいなく盛世である。栄剣が本書を執筆していた頃は、中国経済は年平均七パーセントのペースで成長し、中国の都市はますます大きくなって近代化していた。マンションやマイカーを購入し、海外旅行に出かける人がさらに増えている。まさに習近平の時代であり、習近平はすべての中国人が「四つの自信」――中国の社会主義の道に対する自信、理論に対する自信、制度に対する自信、文化に対する自信――を分かち合うことを求めている。

だが、いたるところに危機をはらんでいる時代でもある。執政党の腐敗は甚だしく、権力を濫用して蓄財する幹部を粛清して処罰するために、習近平は無慈悲な運動を展開せざるを得なかった。チベット人、ウイグル人、香港人は中国共産党の無慈悲な抑圧のなかで、いくばくかの文化的自主権を勝ち取ろうと努力しているが、政府の反応は弾圧の強化だった。農民は土地を没収されたことに抗議し、労働者は劣悪な労働条件と賃金未払いに抗議した。心の安らぎを宗教に求める人が増えている。中国の一帯一路プロジェクトの多くは損失を出し、北京の統一戦線戦略と「戦狼外交」は多くの国から反撃を受けた。

清朝末期のように、権力者は建言の道を閉ざしたのである。政府は弁護士やジャーナリスト、フェミニストや学者からの批判を抑え込んでいる。さらには中国共産党員までもが指導者の政策を批判したことで罰せられているのだ。

　知識人には真実を語る責任があるだけでなく、そのことは中国の偉大な伝統だ。今日、中国はまさにそのような知識人を必要としている。栄剣は一九八七年に学術活動を開始して以来、勇気をもって発言している。彼は一九八〇年代に中国の正しい改革の道をめぐる論争に参加した。一九八九年、中国人民大学マルクス主義哲学博士課程を除籍処分となり、その後はビジネス界に身を投じてきた。

　所属する組織にコントロールされることがない商売人として、栄剣は真実を語る独立性を獲得した。二〇一二年以降、ブログ、ネット、『フィナンシャル・タイムズ』など海外の中国語サイトに重要な文章を多数掲載し、本書に収録されている重要な作品を執筆してきた。彼の多くの文章は英訳され、外国の読者に中国の重要な思想動向を理解させている。コロンビア大学東アジア研究所は、これまで二度にわたって栄剣を講演に招き、海外の学術界に向けて中国の動向を紹介した。彼が何度かニューヨークを訪れた際に、私は栄剣と四度にわたってじっくりと深く掘り下げて話をする機会に恵まれた。

　栄剣は、中国の問題は総合的、長期的、制度的な問題であるという見方を示した。これらの問題は、国家の政治制度の根本的な変革によってのみ解決することができる。現在の懸案は長きにわたり緩慢と続いてきた政治の発展過程の一部であり、その過程はすでに一世紀以上も持続しているが、いまだに終わりを見ていない。国はすでに繁栄の段階に入り、教育水準が向上し、中産階級が増え、全国の大部分の地域には近代化されたインフラがある。発展に乗り遅れた残りの地域は急速に追い上げている。過去の中国における発展の各段階と同様に、政治制度は杜会の変化に合わせて変化する必要がある。そのような変革は中国の人民自身が設計し、推進することになるだろう。

　この点から見れば、栄剣は中国の人民が自ら進むべき方向をしっかりと見るように啓発したのだ。中国の人民は、栄剣と本書の洞察力に富んで透徹した見解に感謝すべきである。

本書〔原題は『新盛世危言』〕は、鄭観応が一八九三年に著した『盛世危言』の書名を借りることで、栄剣は中国の人民に目を覚ますよう警鐘を鳴らしている。彼らが直面している危険とは、政府が彼らの目に触れさせたくないものだ。

鄭観応の提言を目にした光緒帝は、二千部印刷して高級官僚に配付するよう命じたという。『新盛世危言』に対して習近平も同じようにできるならば、これ以上善いことはないだろう。残念ながら、彼はそのようにはできないのである。

二〇二〇年十月三十日

自序

清の光緒二十（一八九四）年、マカオに閑居していた中国の実業家、鄭観応は一八七三年に『救世掲要』、一八八〇年に『易言』をまとめた後、再び社会に衝撃を与える著作を発表した――『盛世危言』だ。同書が世に出ると、雷鳴が耳をつんざくように官や民を震撼させ、「世直しの医学書」と称された。洋務運動の指導者、張之洞は「うまく利用すれば国を救う良薬となり、そうでなくても人材を育てる秘訣とできる」と称賛。同書を読み興奮した光緒帝が「二千部刷って臣下に配れ」と命じたとも伝えられる。清朝末に日清戦争に破れ、朝廷も上も下も国家の行く末に茫然自失状態にあったなかで、『盛世危言』の出現は確かに維新改革の指針という性格を帯びていた。

『盛世危言』の初版は一八九四年で、その後二度改訂された（一八九五年、一九〇〇年）。本文計百十一編のほか、七十二編の付録と序文、あとがきを収録。近代国家の建設と危機に対処するためのあらゆるオプションを示し、政治、経済、外交、教育、世論、統治、司法、海上防衛などの分野で中国社会に改革案を提示している。主な提言は次の通り。政治面では議会制立憲政体を導入すべきである。議会制民主主義は国民の心をまとめて一つにできる。「議会をつくれば、物事の是非を公に論じ、悪賢い者が権力をほしいままにすることはできず、愚かな臣が国を誤ることはできなくなる」。言論・主張については統制をやめ、民が政治を論じるのを容認し、官民が共に国家の大計を議論できるようにする。経済面では「商業上の競争を奨励することから始める」よう提言している。民間から商工団体をつくり、近代工業を全力で発展させる。司法については西側に学ぶよう直言している。「西洋人は刑罰の残酷さで中国を語る。寛大さと厳格さを持つ制度は外国に及ばない。それゆえ、いったん中国を脇に置いて外国を語り、外国の良いところを取り入れて中国を見定めるべきだ」としている。このほか、学校、西洋の学問、女性の教育、テスト、統治、禁煙、公法、税制、国債、電信、郵便電話、銀行、鉱物の採掘、治水、開墾、海上防衛、国境警備、農業技術、軍事訓練、海兵、漁業、民間軍事組織、銃砲類などについて具体的な改革案を提示している。疑いもなく、『盛世危言』は清朝末の救国、建国の指針である。思想家、蔡元培の言葉を借りれば、「西側制度を軸に、古書の智恵を集めて近代の病を治し、変法を唱える者にとって有用な事柄はおおむね網羅されている」。

鄭観応は一八七三年の「救世」観を一八九四年の「盛世（繁栄の時代）」観へと転換し、清朝末の時代的特徴を見定めたと言えよう。近代以来、清朝末の統治者が外部の圧力に直面しながら遅々として対処せず、無関心を決め込んだのは、大帝国の風格を手放せず、中華の「天下」観で世界文明の大局に対抗しようとしたためだ。経済規模で言えば、清朝末は実は「繁栄の時代」だった。英学者、アンガス・マディソンが記した「中国経済の長期的パフォーマンス」は非常に多くのデータを用いて次のように証明している。十世紀から十五世紀にかけて、中国の一人当たりの平均収入は一貫して世界のトップクラスにあり、十九世紀初頭には中国と欧州が逆転する歴史的な衰退期にあったが、それでも中国の国内総生産（ＧＤＰ）は欧州と米国の総和を上回っていた。マディソンは、この歴史的事実が読者にこのような情景を浮かび上がらせると指摘している。中国の二十一世紀の経済発展は「台頭」ではなく「復興」であり、中国が清朝末に有していた「世界トップ」の栄光への復興だ。この見方に従えば、鄭観応の『盛世危言』はぼんくらの杞憂と言うことになりはしまいか。中国の「長期的パフォーマンス」からすれば、中国の繁栄は清朝末に中断したにすぎず、今の中国は清朝末よりも繁栄の時代を迎えているのではないか。マディソンの著作と鄭観応の著作を同時に並べれば、少なくとも二つの「盛世」意識を見出すことができる。一つは鄭観応の盛世の危機意識、もう一つは清朝末の統治者の「天国」意識の背後にある「わが国はすごい」という意識で、これでは「盛世」の危機の処在を見極めることができない。

鄭観応の『盛世危言』は清朝末の知識人の、惰性に陥り衰退しつつある帝国に対するもっとも覚醒した認識を代表しており、こうした認識が康有為や梁啓超らが進めた戊戌変法〔政治改革〕の思想的土台を固め、また清朝末の最後の数年間の統治者による君主立憲制への制度改正を打ち立てた。ただ言うまでもなく、『盛世危言』は最終的には清帝国の崩壊を防ぐことはできなかった。これは薬に効き目がなかったわけではない。統治者が積極的な治療を施さなかったのだ。「盛世危言」を今風の言葉に言い換えれば、憲政、法治、言論の自由、民間経済の発展などであり、どれ一つとっても時代遅れではない。つまり、現代中国の「盛世」は清朝末の「盛世」と同じで、いずれも同様の制度的問題に直面している。鄭観応は当時の病根の在処を直言していた。上と下が不通の状態で、病状は凝り固まり、民間が事を起こせば、それが理に適い、人心を得ていても、政府と意見が異なれば庶民を惑わしたと責められ、深刻な場合は反逆とされ、奸臣を拷問にかけるといって忠誠心のある者まで残酷に処罰する。この現象はまさに今の中国と同じではないか?!　鄭観応は「議会があれば愚かな暴君が虐待をする余地はなく、跋扈する政治家が権力をほしいままにする余地はなく、大小の役人が責任逃れをする余地はなく、民草が不満を募らせることもない。それゆえに天朝が数代で滅びたり、一代で滅亡したりすることもない」。これらは今の中国で正義を貫いている人たちの根本的な要求と同じではないか?!　清朝末に王朝が崩壊し、帝制が終わり、共和の時代が始まったはずだが、中央集権の専制体制の現代において転身はいまだ果たされず、中国は今もなお、歴史の「三峡」から抜け出せていない〔三峡は長江本流にある三つの峡谷の総称で、激流と急峻な様を示す〕。表面的な盛世はきらびやかに咲き誇っているように見えるが、帝制の腐った綿を覆い隠すことはできず、新たな時代は旧王朝の宿命から逃れられない。

　本書は筆者が二〇一二年からこれまでに公のメディアや個人メディアで発表した政治や時事評論をまとめたものだ。内容は八年近くにわたり中国で起きた一連の象徴的な事件や人物、および筆者の中国の政治や社会の転換への理論・思考を盛り込んでいる。清朝末と比べ、中国共産党の国家機関は政治、経済、軍事、財政、そしてあらゆる資源を管理する能力という点では、世界に匹敵するものはない。中国の経済規模は世界第二位であり、一位に返り咲く日も時間の問題かもしれない。こんな盛世なら喜ぶべきではないだろうか。いったいどこが危機なのか。しかし、少しでも常識のある人なら分かるだろう。まさに二〇一二年から、盛世の中国は敗色の兆候が現れ、それまで長期間、社会の深い構造に潜んでいたさまざまな矛盾が表面に浮かび上がり、それまでは見て見ぬふりができたか、とりあえず棚上げできた問題ももはや回避できなくなり、中国共産党はかつてないほどの「党が滅び、国が滅ぶ」という政治的な危機感を強めた〔二〇一二年は習近平氏が共産党総書記になった年〕。断言しても良いが、中国が今直面しているのは局部的で一時的な体質の問題ではない。総合的で長期的な制度上の問題であり、これらの問題に効果的に対処できなければ、中国は必ずもっと深刻な危機に見舞われるだろう。

　時事評論本として、あえて大げさなことを言って驚かせようとするものではない。清朝末の鄭観応と同じ政治的な問題意識に基づき、時代の悪弊の公開、政治批判も社会批判も、憲政を志して国家制度の転換と社会の進歩を促すとの意識が根底にある。「盛世危言」と異なるのは、本書は救国と建国の指針を示していないし、改革案をデザインしてもいない。また革命の可能性や現実味についての言及を避けていない。新時代の盛世危言は現実を直視し、問題を直視し、事実の判断と価値判断の基準をきちんと統一し、客観的で理性的な態度で現在の中国に潜む危機と転換の道筋を示すよう心がけている。

二〇一八年、中国が改革開放を始めてから四十年の際に、筆者は次のような感想を書き記した。

四十年にわたる改革はすでに幕を下ろしたが、三千年にわたる変動は依然として脈打っている。まさにこの瞬間も、康有為・梁啓超の時代以来、知識人は果敢に危うきに近寄り、必死に劣勢を挽回し、維新を求め、変法を求め、改革を求め、勇往邁進し、根気よく続け、何度も闘っては敗北し、敗北を名誉としてきた。今、時は転生し、歴史の三峡は曲がりくねり、わが大命は尽き、人としてやるべきことをなし、ただ努力し、功名心を持たず、無理と知りながらもあえて行ってきた。天下は広い。わが土とわが民を持ちながら、どうしてたった一つの姓だけが許されようか！匹夫の責任であり、功績や名声を求めず、ただ尽力し、たとえ努力が水の泡となっても、心の叫びに従い、再起する！

大変動が臨界の時期を迎えており、先哲を追いかけ、繁栄の時代に向かって直言し、智恵を求めて難題を解き、心の内を明かして本質を見抜くとして序としたい。

I 「重慶モデル」批判

第一章　重慶に馳せ参じる学者たち

どうやら「重慶モデル」は予定よりも早く幕を閉じたようだ〔革命歌唱和のキャンペーン、マフィアの一掃、公営の賃貸住宅の大規模建設、農村からの出稼ぎ労働者に都市戸籍の附与、富裕層に厳しい税制などの政策〕。少なくとも「紅い歌を歌い（唱紅）」かつ「マフィアを取り締まる（打黒）」という二つのお芝居の監督と役者は、もう二度とこれまでのような役割を演じることができなくなったように思える。彼らが重慶という舞台から急いで離れようとしたためカーテンコールにさえ間に合わずにいたとき、この劇場型事件をはじめから周囲で見ていた観客もまた、これに対して歓呼の声をあげることにも、それを惜しむ声をあげることにも間に合わなかった。結局はほとんどの人々が驚愕し、かつ呆然とするなかで、この三十年の間でもっとも見甲斐のある政治的政変とその結末を目撃したことになる。もちろん、これらは芝居というシナリオライターの想像のなかでのみ存在しているのだが、そのピークには、一挙に押し寄せてきたさまざまな要素、つまり権力、金銭、忠臣、変節、陰謀、謀殺、女性、愛人、家出、逮捕、真相、デマといった、いかにも観衆が喜びそうな要素が何から何まで十分揃っていた。その際、庶民の心情は穏やかではなく、議論が次々に沸きあがったものの、もともとあったはずの政治倫理という堤防をすぐには突き破ることができずにいた。ここで一般の人々は、多くの場合、この現実に起きている大芝居をたんに見て聞いて楽しむだけの、いわば娯楽番組のように見ていたのであり、それに相応しい政治的いきさつ、話題を思う存分消費しているにすぎず、それについての深い意味での再検討や理論的探求といったものは、いまだ表に現われてきていない。

筆者が「重慶問題を振り返る」と題して、一連の重慶に関する重大事件について再検討を行ったのは、学者の本性にまで遡りつつ、左と右との政治的枠組みを超越するという前提で、さらに客観的かつ理性的な立場で、「重慶モデル」をめぐる諸問題を再検討するためであった。事実上、「重慶モデル」という言葉が現われて以来、学者が登場しない場面というものはなく、一つの省レベルの地方政府がこれだけ多くの学者の関心を引き、かつ群れをなして馳せ参じるように促し、先を争うように重慶のために発言するというありさまは、重慶が誇るべき人文的風景を築くといったものなのであろう。重慶を主題にすでに出版されている各種の読み物のなかで、結論として導き出された新たな理論的刷新や発見はすでに少なくない。まさに現在、さらに今現在進行している課題はさらに多く、もし何人かの主要な登場人物が本来の所属部署をかき乱すようなことがなければ、さらに多くの学者が重慶の多くの場面に登場するはずである。こうした学者が一つの場所に集まって発言するという現象は、おそらく国共内戦時の延安でのみ起こったことであり、当時は多くの理論的俊秀、文学青年がさまざまな困難を克服し、「西安にいかずんば延安にいけ」といったことが、一時の政治的流行となったのである。両軍が対峙して、敵と味方に分かれつつも、ここでは政治的正しさを選択することが、戦争世代において二つのいずれかのみを迫るという法則となったのであるが、今またこれと同じような現象が再び起きていることは研究に値する。

自ら進んで重慶に赴いた学者とは、身分の差異こそさまざまであっても、その立場は鮮明であり、大体が「左派」に属しているといって間違いない。現在のように社会が深刻なまでに分裂状況に陥っている中国では、左右の争いはイデオロギーの層から現実の層へまで下降してきており、最近二十年における中国社会の変化のなかでも、特に重要なものの一つとなっている。改革以前の十年間では、何人かの「左王」が執政党によるイデオロギー操作という大権を有する一方、改革派はその牽制を大幅にうけて、左傾化した教条と守旧がもたらす規則の束縛を受けていた。しかし、党内左派には社会的基礎も民意の支持も欠如しているだけでなく、学界においてはなおさら正当性が欠如しているため、即座に攻撃の対象となってしまう。天安門事件（八九風波）〔六四天安門事件に関する中国政府の公式見解は「八〇年代末の政治風波」である。「風波」は中国語で「騒ぎ」を指す〕以降、学界から公開で選び出し、政府と全面的に協力した学者とは、おそらく何新（一九四九年〜）ただ一人である。いまでは時が過ぎ、状況が大きく変化したものの、執政党は鄧小平の南巡講話以降、再び改革へと道を開き、市場化をその進むべき方向性として目指したが、それは急速な経済成長という成果を得るだけでなく、執政という合法性の基礎を再度、確立した。こうした状況の下で、党内における左右の路線をめぐる争いは影を潜め、いわゆる「改革派」と「保守派」はいずれも歴史的舞台から退き、鄧小平が提唱していた「論争しない」、あるいは「資本主義か社会主義か（姓資姓社）」を問わないという主張が、理論と経済とを二つの互いに相容れることのない領域へと追いやってしまった。経済の領域では「非左派」が主導したものの、新自由主義が単独で大手を振るっていたわけではなく、理論の是非を問うことのないプラグマティズム（実用主義）がその支配的地位にあった。理論の領域では、左派の思想的資源の学理化が、新左派による新たな解釈を通して、世界の左翼的思想系譜の一部となることで学術的合法性を獲得するだけでなく、中国国内における合法性をも同時に勝ち取ることとなった〔原文は「新左派」で、第二次大戦後に欧米や日本などに現れた「新左翼（ニューレフト）」と区別して、そのまま「新左派」と訳す。張博樹は「本来、「新左翼」とは欧米に生まれた用語であり、欧州と北米で流行した資本主義に批判的な立場をとる左翼社会思潮のことを指す。中国における「新左派」は独特な政治環境のなかで育まれ、その主張は欧米の左翼運動のそれと相似するが、異なる部分はさらに顕著である」と述べた（中村達雄訳「中国新左派批判――汪暉を例にして」石井知章編『現代中国のリベラリズム思潮――一九二〇年代から二〇一五年まで』藤原書店、二〇一五年、一三〇頁）」。

左派の思想はイデオロギーによってではなく、学術的形態によって新たに中国に登場したという意味で、それは中国思想の進化過程における一つの進歩である。一九九〇年代の初めから、新左派は中国学界で徐々に影響を及ぼすように広がっていき、はじめは控えめに議論を展開していたものの、やがて大胆に世界観を語るようになり、中国の理論状況を根底から変え、左右へと鮮明に分かれる思想的陣営を形成していった。新左派の思想的リーダーである汪暉は、おそらくは左派という印象のよくない名称を与えられることを嫌い、かつ「新左派」という帽子をかぶせられることを望まなかったためであろうが、自ら「批判的知識人」と名乗りつつ、学界に登場した。新左派の言説が徐々に公共領域に入ってくると、やがて同じような理論的観点や政治的立場を共有する一部の学者が自発的に新左派という旗の下に集うようになり、西側左翼の思想的資源と方法を借用しつつ、社会的公正さを優先的目標とする理論的立場を打ち出した。彼らは、経済的民主主義の手法で中国労働者の主体的地位を確立するという傾向にあり、資本と権貴〔権力〕の結合を攻撃し、執政党の腐敗や社会的不公正という現象を批判し、毛沢東の思想的遺産と制度的遺産への再評価を要求しつつ、文革における一連の行為にも同情的理解を寄せるまでに至ったのである。新左派の理論的主張を見れば、それは学術的なマスクをかぶり、その論敵である新自由主義よりもさらに急進的な政治的立場であることが分かる。つまりそれは民主または文革流の大民主で民意やポピュリズムに訴えるか、あるいは政治改革に先行する原則で経済改革の公正さを確保し、広範囲の人民による参与を前提にして党＝国家の政策決定体制と指導体制を改造するということである。明らかにこれらの理論的主張は、現行の改革政策の合法性に及ぶ問題であり、なおかつ執政党の執政の基礎にまで及ぶ問題であるがゆえに、執政党はいまだに積極的回答を与えられないでいるのである。新左派は新自由主義と同様に、自らの思想を執政党の中枢に注ぎ込むことができずにおり、すべてが書生的政治談議、あるいはたんなる空理空論にとどまっている。

学者を中心とする新左派の中国における勃興は、官僚を主体とする旧左派がもともと抱えていた汚れた印象をある程度払拭したのと同時に、社会ポピュリズム的な毛沢東左派勢力の情念を掻き立てた。党内の旧左派が築いたイデオロギーの正統性とは、スターリンやジダーノフが長期間依拠してきた教条主義、思想的硬直化、融通の利かない嫌悪すべきものであり、新たな時代に直面しても新たな言葉を見出せないでおり、言葉の上での調整が欠如しているため誰が何を言っても信じてもらえない。草の根という階層に根ざしている毛沢東左派勢力は、政治的に激しい情念と素朴な感情があるだけで、ツバを飛ばすように激論しても、それはネット上での井戸端会議をしているにすぎず、理論的には何ら建設的なものを築いていない。唯一、新左派のみが、ウォーラーステインの世界システム論からフランクの従属理論まで、サイードのオリエンタリズムからポストコロニアリズム論まで、ポランニーの大転換からフレドリック・ジェイムソンの文化批評まで、フランスのアナール学派からイギリスの『ニューレフトレビュー』まで、グラムシのヘゲモニー理論から西欧マルクス主義まで、西側の左翼陣営からさまざまな理論を引き出している。さらにフランスのポストモダニズムや構造主義のさまざまな理論家たちが、中国の新左派によって利用可能な思想的資源として使われており、これらが一挙にまとめて中国に輸入されることで強大なる理論フォーラムを形成しており、それに反対する学者は一時的に立ち往生してしまうほどである。二十年余りの蓄積を経て、新左派はすでに中国における一つの重要な言説として、その声はすでに無視できないものとなっている。こうした思想的背景で、「重慶モデル」は「紅い歌を歌う」ことで執政党の資源を開拓し、新左派の思想的実践に制度的空間を与えているのである。

　重慶の執政者は明らかに一人の高度な言説力を持った人物であり、理論に対して大いなる欲求を抱いているのだが、その目的とはいわゆる重慶の新政のためにもっとも有効な説法を見つけることにある。当初、重慶の一連のやり方とは、重慶自らの理論的総括の結果であったが、その理論的代表は重慶市党委員会党校の蘇偉教授であった。彼が書いた「薄熙来の新政、重慶モデル、および中国の特色ある社会主義」と題された報告は、重慶の新政と重慶モデルについて系統的な論述を行っている。彼は重慶の民政経済、「紅い歌を歌い（唱紅）」、「マフィアを取り締まる（打黒）」を、重慶の新政と重慶モデルとともに高く評価しつつ、そのなかで「後の者が先の者を追い越すというのは尋常なことではない」という薄熙来による重慶に対する要求について触れている。これら「尋常ではないこと」の合法性や正当性を論証するというのは、さらにそこから未来の中国における普遍的意義を与えるということであり、ここではそのための理論や説法を見つけることがきわめて重要になってくる。重慶人が重慶のために語るというのは自画自賛であることを免れ難く、外部からの思想的資源を導入し、特に外部の著名なる学者による理論的支援を重慶のために得ることには大きな現実的意義と理論的意義がある。そこで、重慶の門を開放したところ、広範囲からの多くの才能が、そして賢者が群れをなすように集まり、さらに多くの学者がやってきたのだが、そのなかには三顧の礼のように大金の礼を尽くして招聘する者、あるいは同じ信仰心を抱きつつ自ら身を投じる者、あるいは理論的刷新を求めて新たな学術的突破を求める者など、その方法はさまざまである。その動機もそれぞれで異なっているものの、等しく左派の陣営から来ているという点でその立場は大まかには同じである。そのなかの代表的な何人かの人物については、その言論とはいかなるもので、いったい何について述べてきたのかを直視しつつ、きちんと理解する必要がある。

清華大学の崔之元教授は新左派のリーダーである。彼は米国で博士号を取得して教授になった人物であり、鞍鋼憲法〔中国社会主義企業経営管理の基本原則〕について新たに論じた文章で名声を博したが、改革以前の制度的配置およびその合理性について十分に認めていることで知られている。ここで彼は、中国における第二次思想解放の重点はもはやたんなる保守派の否定ではなく、改めて制度的創造性を拡大しつつある想像力の空間であり、さまざまな制度的刷新の機会を探し求めることであるとしている。彼のいわゆる「制度的刷新」とは、主に毛沢東時代の遺産を掘り下げることに整合性を求めることをいうのだが、彼が理論的に依拠するのは、アメリカの「新進化論」、「分析マルクス主義」、および「批判的法学」といった一連の理論である。この西側の学識をひけらかすことに熱心な学者は、中国についての歴史意識をほとんど持たないものの、そのこと自体は、中国のために一連の処方箋を出すことへの妨げになることは一切なく、特に重慶問題に対しては一連の論証を行っている。彼の重慶モデルに対する一連の合法的論証とは、主にG・ミードやグラムシが与えた三つの理論的角度から行われたものであり、これ以外でも、彼は西側知識人の名前を挙げつつ大量に引用し、彼らがどこかで発言したことを重慶のために使っている。これは筆者をひどく困惑させていることなのだが、重慶モデルの合法性とは、西側の人々の言説からのみ来ているということなのであろうか。西側知識人の論理と方法を通して、崔之元は次のように述べている。「もし深圳と上海の違いが中国の一九八〇年代と九〇年代の象徴であるとすれば、重慶は二十一世紀最初の十年において発展する中国の勢いを示している」。

崔之元の清華大学の同僚である李希光教授は、メディア論の専門家であり、以前、『ワシントンポスト』で五年間、客員記者を務めたことがある。帰国後はアメリカのメディアが実際の中国以上に否定的に扱おうとする傾向を盛んに批判したことによりその名声が急速に高まり、崔之元との連名で

「重慶の夢と中国モデル」と題した一文を『中国社会科学内部文稿』（二〇一〇年第四期）に発表した。この文章は、重慶の最高指導者から高い評価を受けて重視されたが、そのなかの一部の記述は前代未聞のものであったといえる。その核心的な部分をいえば、「二十世紀後半、アメリカは夢の地を創造した。今日、中国モデルと重慶の実践は、ポストアメリカ時代のもう一つの夢の地として引き継がれるであろう」。李教授の見るところ、重慶の意義はある種の普遍的価値を有しているところにあり、「中国の道」、や「中国モデル」、あるいは「重慶の実践」は、アジア、アフリカ、南米など、経済発展を渇望する国家に対して現実的な政策上の影響をもたらすであろう。未来の政治経済をめぐる学術的討論では、新たな一章が付け加えられるはずである。すなわち、重慶の事例は、いかにして政府と市場を利用すべきなのかについての、それと同時に、それらがもたらす極端な状況をなくすことについての、たいへんよいお手本を提供している」。より多くの人々にこのことを認めてもらうために、李希光は著名な『重慶物語』の簡易版を書いているが、そこでは中国の未来の発展理念とその実現のために奮闘すべき目標を明確に示しており、人民大衆の党と国家に対する未来への信念を増大させ、一つの道徳的境地を打ち立てているとしている。この教授によれば、「重慶物語は重慶人の一つの夢であるだけではなく、全中国人大多数の夢でもある。重慶物語はコミュニケーション障害を打ち破り、共同の興味関心を沸きたてるトピックであるがゆえに、理論にかかわる仕事、あるいはマスコミの仕事にかかわる人々は、この観念的競争、物語の競争に参加して、よりよい重慶物語について語るべきである」。

王紹光教授も著名な教授の一人で、アメリカで博士号を取得し、現在は香港の中文大学の教授であり、清華大学長江講座の教授でもある。彼は一九九三年、胡鞍鋼〔清華大学公共管理学院〕教授とともに『中国国家能力報告』を出版しているが、その影響力は深くかつ広く及んでおり、ナショナリズムを公開で主張している学者としても知られている。重慶のために書いた諸論考のなかで、王紹光の修辞能力は李希光と比較してもこれに優るとも劣らない。彼は「中国社会主義三・〇」という概念を提起したが、一時は明らかに高所から下々を制する勢いで、その言葉も並々ならぬものであった。その描写のなかで彼は、改革以前の中国社会主義は一・〇であり、これを「欠乏段階」と称している。改革開放以降の三十年は、中国の発展が生み出した社会主義二・〇であり、これが「衣食に事足りない（温飽）段階」である。現在の重慶モデルは中国社会主義の三・〇を象徴しており、「小康段階」に入ったとされる。こうしたことの合理性を証明するために、王紹光は自らの学術能力をフルに発揮して、さまざまな典拠先、図解などを引用し、多くの注釈を施しながら論じており、まるでこれにはまったく反駁できないかのようである。二〇一二年三月十五日、重慶で書記がすでに免職されているという状況下で、王紹光教授の主催で、北京大学の潘維教授を重慶大学に招いて報告会を開き、「現代中国の〈体制〉問題」と題して講演した。潘維教授はかつてと同じように、普遍的価値を否定しつつ、「中国モデル」の制度的優勢を宣揚し、それが一種の「特殊でありかつ突出した利益バランスの形式を代表している」と考えていた。

「三農問題」研究で名高い温鉄軍教授は、重慶モデルに対しても大きな関心を寄せている。彼の結論も他と異なった側面があり、重慶でのいくつかの経験を概括的に簡潔にまとめているが、それは「集中された権力が重大事をもたらす」、「二大資本の拡大が重要な突破口となる」、「三つの運動が四つの転換をもたらす」、「五大目標を実施する」など、明快な言葉で表現されている。最後に重慶の経験を総括して、「重慶の経験の意義は第一に、それが資本にやさしい体系から民生にやさしい体系へと転じているがゆえに、西側の発展という旧套を脱し、第二に市場経済を社会主義の土地制度に創造的に結びつけ、第三に政府と市場との新たな関係を作り出したことである。第四に理念的転換が増長すると、重慶の発展は排他的増長から包容的増長へと変化していったことである。第五に重慶の探索は、通常のいわゆる農業文明、工業文明から十七回党大会で提出された生態的文明へとグレードアップしているが、重慶が現在掲げている五大目標もまさに生態的文明へと転換していることである」と述べている。『中国震撼』の著者である張維為教授は、すでに全世界を歩いて、世界のさまざまな体制についての研究と比較を行っている。彼は、その著書『重慶見聞録（重慶帰来話重慶）』において、重慶で中国モデルの典型を見つけたとしており、「重慶はすでに天地を覆さんばかりな変化をもたらしている」と断言している。彼はソフトウェアとハードウェアの両側面で、重慶の巨大な変化について概括しているが、彼の見たところ、重慶市政の施設、高層ビル、村落レベルの施設、巡回警察プラットフォームなどの公共施設は、すでにいかなる欧州の国にも負けることがなく、住民の生活条件も香港や日本よりもよくなっており、中国の特色ある社会主義はいまや国際的比較の対象になりうるところまできている。ソフトウェアの観点でいえば、何人かのタクシーの運転手の話を聞いても、重慶の一般庶民の心も満ち足りており、重慶におけるこの何年かの変化に対して誇りに思っており、市党委員会、市政府の仕事を高く評価していることが分かる。

　重慶という経験への概括に参与している多くの学者のなかには、経済学者でありながらもまるで詩人のような心情で薄熙来の「千日新政」に心からの賛同を表明する一人の人物がいる。彼は、『日照重慶』という映画から名前を借りて、『日照重慶――薄熙来と重慶モデル』という何万字もの長大な文章を書いている。それは重慶の経験を十二の局面から概観し、薄熙来の重慶執政が「党中央の英明、意義深い決定であり」、薄熙来は「超人的で尋常ならざる勇気と知恵で、さらに共産党人として何事も畏れない無私によって時代の荒波に屹立し、英雄的機敏さで大状況を切り開いていく。そうした執政への弛まぬ自覚で、大きな時代のうねりのなかで党の心、そして民の心を深く捉えつつ、一つの活きた芝居を演じきったのである」と記している。これは「東方紅」の楽譜を新たに言葉にしたものに他ならない。この学者と社会学者である鄧偉志、某基金会理事長である胡錦星らは、二〇一〇年十一月、上海で「重慶モデル」についてハイレベルのシンポジウムを開催し、崔之元などを招聘して、重慶の官僚らが重慶プロジェクトのさまざまな経験について語るだけでなく、多くの左派人士を広く招いたが、そのなかには文革時代の大物コミュニストである戚本禹、朱永嘉、さらに「烏有之郷〔ユートピア〕」の張宏良が含まれている。張宏良はこのシンポジウムで、「重慶モデルは中国社会主義が依然として自らを改革する歴史的能力を兼ね備えていることを証明している」と題して講演した。だが、この毛沢東左派の領袖にとっては、「薄熙来の「千日新政」は始まったばかりの「紅い歌を歌い、マフィアを取り締まる」第一幕にすぎず、波乱に満ちた民生劇が完全に展開しているわけではない。たしかに、重慶の庶民は「社会主義が戻ってきた」と歓声をあげたのだが、もし重慶の新政運動が全面的に展開され、さらに全国で展開されたならば、「社会主義が戻ってきた」という歓声は自ずと全国各地でこだまするはずだし、中国社会主義は自ずと本来の階級的性格と政治的基礎へと回帰できるようになるはずである」。張宏良のこの言論とは、けっしてたんに一つの願望を示したものではなく、この会議から見て取れるのは、重慶モデルが彼らをつなげていく上での基礎となって、新左派、旧左派の双方がともに手を取り合っているということである。

　重慶に馳せ参じる著名な学者は上記数名に限らず、紹介に値する人物としては、カリフォルニア大学ロサンジェルス校教授の黄宗智氏、およびニューヨーク大学東アジア学部の主任、張旭東教授が挙げられる。黄宗智は中国制度史、および経済史研究分野で卓越した業績を残している。彼は王国斌、彭慕蘭とともに中国史研究でカリフォルニア学派を形成しており、退職後は中国人民大学で教鞭をとっているが、いまもってその誉れは高い。今回重慶モデルに対して大いなる情熱を示しており、多くの評論で肯定的評価を行っている。彼の主張の切り口は、崔之元の論説に即して、崔の博識豊富な知識に基づく論の展開を積極的に受け入れつつ、「重慶が歩んでいるこの道は、真に成功すれば、きわめて意義深いものになるであろう」というものである。さらにいわく、「社会的発展を体現し、経済的発展の理念を促進し、これまで長年無視されてきた社会的公正の問題を扱うなど、政府がきわめて重要な役割を果たすがゆえに、それは資本主義的発展の道とは異なるものである」。張旭東教授は、アメリカのネオ・マルクス主義の大物であるジェイムソンに師事したことからもその身分的位置は明白であるが、今回の場合、彼はもう一つの学術的立場から重慶の状況へと関与して、重慶大学人文科学高等研究院の院長を任じている。彼はなぜ重慶を選んだのかと問われた取材のなかで、いわゆる「総体性の時代」にはじまり、その広範な話題は、文化政治、中国の主体性、中国の集団政治アイデンティティ、文化アイデンティティ、さらに中国新時代人、中国モデルなど、これまでとは異なった分野にまで及んでおり、思想的視野が幅広く、大きな期待をもって受け入れられている。その目標は、重慶に北京や上海とは区別された「第三の言論センター」を建設することにあった。

　左派の思想資源は重慶をめぐる言説にあり、そこに制度的整合性を見出しつつ、きわめて大きな勢力を形成している。それはこれまでの三十年間に及ぶ中国の地方発展で、思想界ではきわめて稀な現象である。大衆迎合的毛沢東左派、政治的旧左派、およびアカデミックな新左派が、はじめて重慶という一つの旗の下で、共同で大きな流れを築き、ほとんどさえぎることができないような勢力となった。執政党のイデオロギーを主管する官僚が重慶に行って学びを得ることで、重慶のイデオロギー的正当性はさらなる承認を得たが、それがさらなる「重慶詣で」のうねりを巻き起こすこととなった。さまざまな「官学」者、あるいは官僚と学者という二つの肩書きを持つ要人が大挙をなして次々と重慶を訪れたが、二〇一一年にはそのピークに達した。まずは社会科学院が院長、および常務副院長とそのチームを引き連れてやってきたが、その他にもさまざまな大研究所の所長、さらに多くの学者が揃って「共同富裕および中国の特色ある社会主義理論をめぐるシンポジウム」を開催している。その次が北京大学で、学長以下、党書記を先頭に、多くの人々を引き連れて重慶にやってきて、「重慶市と北京大学との協力」について宣伝活動を大々的に行い、戦略的共同合意書まで取り付けて署名している。人民大学もまた、重慶は改革開放のために「事実を重んじ、真実をなし、敢然と事実を求め、事を成し遂げている」と称賛している。北京郵電大学のような幾分、規模が小さな大学までもが、自らのやり方で重慶関連の人々を高く評価し、当該大学へ招聘し、兼任教授として任命するなどしている。

重慶への途上にはこれらの周縁にいる何人かの学者の影を見ることができるが、たとえば二〇一一年、楊帆教授によって組織された「非イデオロギー的方法で重慶モデルを研究する」シンポジウムでは、黄紀蘇、張木生、および蕭功秦のような学者が招聘され、彼らが重慶から帰ったのち整理された発言記録がネット上に紹介されると一定の影響力を及ぼすことになった。このなかでも蕭功秦の発言は、蘇偉教授から高い評価を受け、右派の人々も重慶経験による思想的影響の下で理論的転向がもたらされたことを示す一つの典型例であるとみなされた。たしかに蕭功秦教授は、重慶で考察を行ったのちに、重慶のために少なからず肯定的発言を行っているが、もちろん「紅い歌を歌う」といった毛沢東左派への迎合に対しては厳しく批判している。張木生にもこのような傾向があり、重慶の「李庄の事案」〔弁護士の李庄は、薄熙来が指揮を執った犯罪組織一斉検挙の際にマフィアの側を弁護したとして実刑処分を受けた〕をめぐる扱いに対しては疑義を呈している。多くの左派が重慶で声を一つにして唱歌しているまさにそのとき、これら何人かの学者らは重慶の一部のやり方を賛美する一方で、いくつかの問題点を見破るといった観点も示していた。しかるに、これらの疑義や批判的な観点は、左派や官学による一つの歓声に埋もれてまたたくまにかき消されてしまったのである。

これほどまでに多くの学者が先を争うように中国西南部の一隅へ押しかけるというのは、ざわめきの声をあげて時流に乗ろうとする輩による重苦しい中国の政治状況の雰囲気を表している点では、疑いもなく、きわめて明るく美しい政治の人文的景観であるといえる。その原因とは何か。それには三つある。

まず第一に、これはこの薄熙来という人物へ向けて馳せ参じたものである。この人物がもし政治局委員でなければ、明白なる紅色（共産党）の背景がなければ、あるいは政権奪取への高度な潜在力がなければ、どうしてこのようにさまざまに多くの身分ある人々がこびへつらうようなことをするだろうか。彼が重慶にいって執政についたことを、当初多くの人はある種の「流刑」であると考えていた。政治の中心から遠く離れた辺境の地で、老いて終世を送るものと見られていたのである。だが、激しい嵐のような執政行為に音を立てながら乗り出すにつれて、人々は彼の政治的将来について新たに思い計らざるを得なくなった。彼はこれまでの地方と中央という政治構成をほとんど変えてしまい、諸侯の立場で天子の構えへと向かい、常務委員会の六人が彼より先に政権に就いたとき、人々はすでに、残る三人がいつになったら動き出すのかと議論していたのである。おそらくはまさにこうした情勢が背景にあって、なおかつ凡人を超越した本人の魅力がそれに加わることで、多くの人々がまるで賭けをするかのように、最初の一望によって重慶についての判断を早々に言葉にしたのである。こうした状況の下で、果たして学者だけが例外であり得るのであろうか。第二に、意気投合し、互いの価値観も一致し、信仰をともにし、中国の社会的発展にもコンセンサスを有していれば、すでに志と信念を同じくしているというべきである。中国国内で社会的利益の衝突、および階層の衝突が形成されつつあるなかで、重慶は大きな紅い旗を掲げつつ、イデオロギー的正統性を標榜するだけでなく、左派の思想的資源との整合性を保持し、ポピュリズムに呼応することで、一部の民意と大衆を掌握したのである。ここでの学者の役割とは、こうした価値観の正当性や施政上の合法性を支持し、同時にまた、自分の政治的理想を実現することにある。第三に、利益の発動とは、政治と学問という異なった資源の間の整合性を確保する上で、巨大な力をもたらしつつ、互いに互いを補完しあっている。重慶の地方財政の融通が利かないことはいうまでもないが、いったん学術に利するとなれば、これを支持する学者が重慶にやってきて、学問を語り、しかるべき課題を設けて調査を行うというのは、やはりたやすくできることである。大物学者が豊富な資金援助を得ているというのは、ちまたの噂でいわれているだけのことで証明不可能であり、たんなる想像にすぎない。だが、たとえば北京大学、人民大学、社会科学院といった機関が重慶の戦略と協力して、学術的資源と地方資源とを交流させ、結びつけるというのは、中国の学術生産体制の内在的ロジックであり、すでに見慣れていることであって、少しも珍しいことではない。

たとえそれがどんな理由であっても、学者が重慶に馳せ参じ、重慶のためにものをいうことには、理論的にも、法的にも、情緒的にも、疑いをさしはさむ余地がない。執政党政治局委員の一人と同じような政治的見解を持つことの誤りとはいったい何なのか。執政党が一貫したイデオロギーを堅持することがどうして間違っているのか。学術的サービスの提供で地方政府の財政的支援を得ることがどうして不当なのか。では、いったい問題はどこにあるのか。筆者は以下のような三つの見方を示したい。

1　学者と権力との関係性をめぐる問題とは、あまりはっきりと言い切れる事柄ではない。とはいえ、中国の伝統的儒学の知識人は、多くの場合、家、国家、天下を理想として、経世実用を提唱し、貧窮したらその身を修養し、栄達したら天下の救済を旨とする（窮則独善其身、達則兼經濟天下）。もちろん、これは一人の理性的人格であって、現実において財産や地位に惑わされず、富にも溺れず貧乏にも挫けず脅しにも屈しないという人は、少数のなかの少数である。とりわけ、今日では、知識人の品格は日に日に下がっており、学術界は堕落し、勢い盛んな者だけが大道を歩み、身を売り他人に頼る者がいたるところで溢れ、学者の品行や節操はほとんど失われている。新左派の学者らは、元来は「批判的知識人」の立場にある人々であり、国家権貴資本主義的現象に対しては批判的なものが多く、理論的研究の面でもある種の独立性と客観性を保持していた。だが、今回集団で重慶に向かったのが、もしたんに実現可能な理想の境地を見つけたというだけならまだ許せるとしても、完全に利益と機会に突き動かされていたのだとすれば、それはまったく別の問題である。新左派が重慶に雲集し、重慶とまったく同じ調子で歌い、ほしいままに声を張り上げて重慶の経験について語るというのは、重慶のガバナンスにおいて発生した一連の問題を無視するものであり、けっして正常な現象とはいえないだけでなく、学者としての基本的品行にも合致しておらず、その経験と教訓は反省と総括に値するといえる。

2

左右の争いは、すでに理論的・思想的局面から現実的局面へと入っており、左派の学者が自分の立場や価値観に即して重慶モデルについて語るというのは、遠まわしの批判すら必要としない正当な権利である。とはいえ、一人の人はどこに座るかで、往々にしてその人の思考、角度、範囲が決定されるものであるが、そのことはこれまでもずっとそうであった。問題は、学術的文章と宣伝用作品とは、つねにある程度、区別されるべきものであるということであり、この区別とは西洋人の言葉をどれだけ引用したか、あるいはどれだけの図表を用いて、末尾にどれだけ多くの引用をしたかではなく、自分自身の独立した見解を持てるかどうかにあるのだ。王紹光と李希光の文章は、大量のデータや図表で溢れており、一見すると学術性の高いもののように思えるが、いずれも誰かに命じられた作品か、時局におもねた作品であるという嫌疑から免れることはできない。彼らの文章と蘇偉の文章とを比較すれば、彼らが行っている学術的論証プロセスとは、蘇偉の書いた文章を一度修正したものにすぎないことはすぐに分かることであり、その基本的論調とは、蘇偉がすでに使ったものであって、彼らに新たな創造性があるとしても、それはたんに「重慶の夢」や「社会主義三・〇」などといった流行りの言葉をいくつか付け加えただけにすぎないのである。筆者の見方では、左派の思想とは、いったん学術的領域を離れて現実的問題に入ると、そのイデオロギー的本質を回復し、非科学的で、現実を重んじることができず、価値判断でロジックを押し通しても、主題が先行するばかりで、最後には権力の陥穽に堕し、そこから自力で抜け出せずにいるだけである。現在、全面的に「重慶物語」に参与している学者は、ある種の気まずい境地に立たされている。これまであのように大げさな語り方をしていた人々は、果たしてこれまで通りの発言を繰り返すのか、それとも撤回するのか。彼らの独立した人格と品格とは、この時点においていかに表現されるのか、人々は皆、刮目して待っているのである。

3

重慶モデルを実行してからというもの、中国では巨大な論争が引き起こされてきたが、そのなかでも「マフィアを取り締まる（打黒）」ことによって暴露された数多くの違法行為事件が、白日の下にさらされたことで人々の心はいったん乱れたものの、これに対していかなる立場をとろうとも、何らかの反応と判断とを均しく持っているはずである。しかし、崔之元が公開で「打黒」を弁護した以外では、大多数の左派の学者がこの重大問題をめぐる原則的是非についてみな黙して語らずを決め込んでいるが、このことは彼らが行った重慶の民生経済をめぐる熱弁に比べると、明白なるコントラストをなしていることに筆者は注目している。それは重慶で行われたことが明らかに不当であると知りつつも、尊い高貴な人物による過ちであるがゆえに語るのを避けているのか、それとも故意の沈黙によって重慶に対する無言の支持を表明しているのか。彼らの知的背景から判断すれば、彼らが重慶の「打黒」にさまざまな破綻を見出すことはけっして難しいことではないと筆者は考えるが、これを回避する態度をとっているのは、完全に同類を助け異分子を攻撃するものであって、とても公正とはいえず、社会正義に反している。重慶モデルが持続困難なものであることは、はじめから明らかであって、すでにその結末を予測することは可能だったはずである。これらはいずれもその指導者と主な執行者によってなされた行為であり、これまでも疑義が広く呈されていたことである。公正な道理さえあれば、それは火を見るよりも明らかであるにもかかわらず、なぜあのように知性に溢れている学者らが分からなかったというのだろうか。

ここ何年もの間、ずっと流行している次のようないい回しがある。それは海水が沖に退いて人々ははじめて誰が裸で泳いでいたかが分かるというものである。重慶で巻き起こった今回の大きな潮がすでにほとんど沖に引いているいまとなっては、砂浜で腹ばいになって尻を丸出しにしている学者は、もたもたせず、自分たちのパンツをさっさと穿くべきではないのか。

第二章　「重慶モデル」は左右の争いを超えることができるか

最近は、楊帆、蕭功秦、張木生、陳子明、黄紀蘇、李盛平などの中国思想界における左、中、右を一定程度代表する人物たちが、ある範囲で「重慶モデル」はイデオロギーの争いを超えることができるのかという問題について議論していることに注目している。すでに公開されている議論の記録を見ると、参加者はみな「同情的理解」という態度で「重慶モデル」に対応し、中国の思想界を悩ませて久しい左右二元対立の思考を超えて、ある種のイデオロギーを超えた観察視点を確立し、中国の新たな社会共通認識の形成をリードしようとしているようだ。こうしたやり方は奨励すべきで、広める価値がある。当然ながら、さらに深い問題についてはなお研究する必要があり、筆者はここで自分の意見を提起して彼ら古い友人たちと共に議論したいと思う。

議論の参加者はいずれも一九八〇年代に改革を積極的に鼓吹した言論界の英雄たちであり、紆余曲折を経ながらも中国社会の変遷に参加して目撃してきたが、現在に至るまでさまざまな理由のために長年にわたって疎外されてきた。陳子明と李盛平はもっとも早く体制外で合法的に組織的な運営を行った先駆者であり、思想界のエリートたちがまだ動員されながら各種の啓蒙書の出版に忙しくしていたとき、彼らは組織的なプラットフォームの構築に着手して各方面における資源の統合を行った。張木生は杜潤生の後に従い中国の農村改革政策の制定にもっとも早く参与した一人で、基層レベルで広範囲に接触し、各種の条件とルートを備えて世論を上層部に伝え、政策に影響を与えた。楊帆は張偉の計らいと配慮によって天津で研究所を設立し、体制外と体制内の両方でネットワークを構築して活躍し、当時のリーダー的な存在として表舞台で活躍することができた。蕭功秦は一介の書生だったが、新権威主義を提起したことで異彩を放っていた。彼は書斎のなかでただ一心に建言を上層部に伝え、聞き入れてもらいたいと望んでいたのだ。中国の改革史を記せば、彼らはみな歴史となる。

天安門事件（八九風波）以来、啓蒙の言説が終わりを告げ、啓蒙の言葉を語った人々も歴史の舞台から退かざるを得ず、身分を変える人もいれば、世間に見切りをつけたり、遠い外国に行く人もいた。まだ志がある人でも、かなり年老いてしまった。楊帆は白髪に覆われたが、それが一つの証だ。彼らがまた登場して発言するのは、実に大変なことだ。まず直面する問題として、誰に話して聞かせるかということがある。楊帆はまず恨み辛みを言うだろう。この数年、彼は左派の経済学者として発言しているが、言論界の主流のなかでは誰も相手にせず、今回、重慶のために自発的に立言しても何の利点にもなっていないようだ。それどころか警戒されてしまい、テレビに出ても顔が映されず、そうした冷遇を受けたことも楊帆が自分で告白した。張木生は視点が少し高く、楊帆のような勘定にはこだわらない。彼の残念なところは、杜潤生の予見が十分ではなかったために、現在利用できる組織と財源が残っていないことだ。秦暁のように、定年退職前に巨額の基金を準備することはできなかった。資源があればこそ発言権があるというものだ。陳子明と李盛平は、以前のようなやり方を繰り返すことができなくなり、人々が随時集うような席を設けることも難しく、比較的優位な立場も失ってしまい、大衆をいかに動員するかということが現実的な問題となったのである。蕭功秦については言うまでもなく、二十年間も不遇な才能を持ち続けたまま、その思想が書斎から一歩たりとも出ることはなかった。今回重慶のために道理を述べたが、「物事に感じやすいために、かえって何気ない声にも悩まされてしまう」と嘲笑された。

筆者がこのような無駄話をするのは、八〇年代以降の思想家たちが直面している共通の精神と文化の生態について回避したくないからである。いずれも頼りにならず、天に届くこともなく、杜潤生のような手段もない。かといって地に足をつけることもできず、民間、特に企業との実質的なつながりが不足している。体制からの支援や呼応がなく、資源統合のプラットフォームが不足しているのでは、発言したところで無駄ではないか。もちろん、書生は本当に何の取り柄もないというわけではなく、タイミングが重要なのだ。最近、張木生は非常に活躍しているが、長年にわたって自分で口を閉ざし、人々から忘れられそうになったとき、宣言のような大作を著して劉源に序文を執筆してもらった。二人の文章はいずれも同じ風格の簡潔明瞭な報告文で、自由奔放にあれこれと思うところを書き著し、少しばかり毛沢東の風格もある文章で時の権力者の品定めをしつつ、天下国家を論じている。新民主主義理論への回帰を主張した同書は、当面の情勢下では意味深長なものだ。現在、イデオロギーが発展していると見るべきではないが、実際のところ理論的な資源がもっとも乏しく、西洋の学問、国学、マルクス学のいずれも頼りにならないところがあり、言うこととやることが調和しないのは大きな問題である。薄熙来によれば、重慶には理論が欠けていた。理論がなければ、すなわち正当性はない。その部下の話で、たとえば蘇偉のような言い訳では、自説を吹聴するばかりの窮地から抜け出せないのは明らかである。外部の人と話すならば、思想的に左、中、右の人々が一緒に話したほうが当然ながら得策である。重慶は右派を招くことができず、楊帆を招待したのがどうにか適任者というところだった。この数年来、いくつかのグループが一つのことについて議論するのは本当に難しい。前述した数人の友人たちが古い見解を捨てて一堂に会し、良いスタートを切って気風を打ち立ててほしいと願っている。

天安門事件（八九風波）以降の二十年間、中国の知識界は深刻な分裂に陥り、思想の相違から派閥の分岐へと変化し、理論や観点の対立から道徳や人柄をめぐる対立へと変化し、文人たちは互いに軽蔑し合い、個人的な好き嫌いが加わり、異なるグループの人々が互いに交渉を持つこともなく、火と水のようにまったく相容れないものとなった。このような状況は、良識ある左派、右派の人々にとって見るに忍びないものだ。今こそ「幾重にも重なる共通認識」を構築する時なのだ。誰もが自分の立場や価値観、認識方法を放棄する必要はなく、必要なのは、まず互いを思いやる理解から出発し、理性的で実務的な態度で中国社会の転換期に現れたあらゆる思想や観点について客観的かつ冷静に検討し、特に現体制下で現れた重大な事件、制度の刷新や変革的な事象に対して積極的に関心を寄せることである。中国社会の転換はすでに重要な時期に入っており、その未来の発展はさまざまな可能性に満ちているため、最悪の可能性を避けるには中国知識界の共同の努力が必要なのである。

　左右の争いを超えて脱イデオロギー化することは、まるめこんでなだめるのではなく、一緒に座って食事をしたりお茶を飲んだりしておしゃべりするのでもない。具体的には、「重慶モデル」について左派が少し譲歩して紅をピンク色に変えるのではなく、右派が本来のきわめて濃いイデオロギー色をむき出しにするわけでもない。客観的で理性的な研究という立場に立ち返り、まず事実判断と手続き上の正義を堅持し、価値についての理性と判断を一時的に棚上げにするのだ。つまり、まず何が「是」なのかを明らかにしてから、「すべき」ことについて検討するという問題なのである。さもなければ、またしてもイデオロギーをめぐる争いに陥りかねない。今回の蕭功秦の発言は、筆者には納得できるもので、しかも、それはすべての発言のなかでもっとも客観的で理性的だと考えている。彼は「重慶モデル」の合理性とその正当性について言及し、また同時に「左」の面で重慶に現れた信じがたい状況を披露した。まさに後者を通じて左の現象が既存の制度の下でどの程度まで達成できるか、懸念すべき理由があるというものだ。このような発言について張鳴教授は不満があるようだが、重慶のほうも満足していないと思われる。重慶が望んでいる効果は、左、中、右の脱イデオロギー化という解釈によって「重慶モデル」の合法性をさらに確立し、そのイデオロギーの正当性を確立することだ。蕭功秦は重慶に対してイデオロギー、さらには文革色に満ちたやり方を放棄するよう求めているが、重慶はどのようにできるだろうか。実は、楊帆が発言した不満のなかから、重慶はそのような脱イデオロギー化をけっして認めないのだと子細に観察することができる。なぜなら、イデオロギーの叙述方法は、すでに「重慶モデル」と切り離すことができなくなっているからだ。つまり、重慶がそのようにするのが間違いだと言っているのではなく、実態を物語っているということなのだ。

「重慶モデル」の本質と構成要件について、重慶の政府筋では権威ある解釈がなされている。現在、彼らは「重慶モデル」という言い方は主張せず、その代わりに「重慶探求」や「重慶経験」など、よりイデオロギー色の少ない言葉を用いている。このような言葉の調整は、学者たちがこの五年来の重慶の社会発展と制度配置について、中国において現在もっとも注目すべき制度面での現象だとみなすのを妨げるものではない。なぜなら、それは客観的に言って中国の未来に対する人々の想像をかき立てたからである。この想像のなかで、重慶の社会発展はもはやたんに地方の出来事ではなく、左派と右派のいずれにしても彼らの一貫した思考の論理に従って、全国的なモデルとなることを期待しているか、あるいはその影響力を制限して単なる地方的な実験になることを期待しているのだ。蕭功秦教授の功績はその学問的専門性、いわゆる新保守主義理論を援用して、中国の変革期における「重慶モデル」の合法性と本来の制度的意義を新たに確立しようとした点にある。きわめて学術的で、しかも脱イデオロギー化したように思われるこの解釈は、「重慶モデル」に正当な学理的基礎を提供することができるのだろうか。筆者が見るところ、やはり大きな隔たりがあり、まったくのところ書生の見識である。それは、この理論が「重慶モデル」に対する効果的な解釈と理性的な定義を欠いているからではなく、重慶はそのような西洋的な言説による学術的な支持をまったく必要としないからだ。中国政治の辞書で「保守」は良い言葉ではなく、公的なイデオロギーにおいても正当性に欠けている。「新」を標榜したところで、その「新」は重慶で必要とされる革新の系譜のなかでは置き所もない。重慶の政治的実践と制度配置は壮絶なもので、新保守主義の帽子をかぶっていたら、それこそ滑稽だ。重慶にとって必要な理論は、中国革命の伝統と理論の系譜のなかで探すほかない。例えば、新民主主義、新民生主義、新発展主義、新科学観などで、実際のところ見出すことができなくても差し支えなく、政治家は門構えについては構わず、問題にしているのは効果なのだ。

重慶は切実に理論を必要としており、良い言い方を必要としている。それは確かに重慶の実践から他の省や市とは異なる革新的方法を総括すると同時に、ある種の普遍的価値を持つものを総括したいという考えに基づいているからだ。彼らはかつて「重慶モデル」の具体的な経験と特徴を系統的に総括し、例えば「三大評価」、「五つの重慶」建設、都市と農村の包括的な発展、民生の方向づけ、「紅い歌を歌い、マフィアを取り締まる（唱紅打黒）」などを展開したが、その後、重慶と他の省や市の発展には実質的な違いが見られず、さまざまな場面で「重慶モデル」はつまるところ「広東モデル」であると絶えず強調してきた。これは重慶の謙虚さや言葉の策略というわけではなく、本質的に見ても重慶の制度は中国という広い範囲においていかなる革新的な点もない。蕭功秦の新保守主義の定義に照らしても、いずれの省の書記も薄熙来と同様に制度化された強者ではないか。中国の大きな制度配置は、各省や市の制度調整における余地と政策選択の道筋をすでに根本的に決定した。このような見方は、「重慶モデル」の存在を否定するわけではない。重慶には三つの非制度的要素が存在しているために他とは異なって際立っており、それが「重慶モデル」が他の省や市とは区別されて複製できない原因なのかもしれない。

第一の非制度的要因はもちろん薄熙来書記であり、彼がいなければいわゆる「重慶モデル」はなかっただろう。学術的に薄熙来を非制度的要素とみなすのは、薄の華やかな家庭的背景、政治的抱負、資源の総合的な能力について考慮するだけではなく、既存の省や市レベルの役人のなかで、他に類を見ない存在であるからだ。そして、彼のような官職のあり方が、現体制が地方役人に与え得る正常な範囲の限界を大きく突破していることも考慮しなければならない。俗に言えば、彼は党内の従来のやり方ではカードを出さなかったということだ。彼の執政に見られた個性は共和国六十数年の歴史ではじめて現れたものだったかもしれない。薄熙来の具体的なやり方については、左と右では評価が大きく異なるが、一つの地方で新しい勢力が突如出現し、主導的にバランスを崩して膠着状態を打破することは、大多数の人が喜んで目にするものであり、ましてや重慶が民生志向の発展戦略を大々的に推し進めることに、きわめて大きな合理性があることは言うまでもない。中国の現在の改革が足踏みし、政策の選択が躊躇されているときに、どのような方向からでも制度化された変動や個人的な行為が中国の未来の発展に関する論争を呼び起こすことができるならば、それは良いことだ。制度の刷新は、論争、妥協、回避のなかで次第に形成されるもので、地方政府の自主性を拡大し、地方の特色ある経済モデルを発展させ、地方自治をさらに育成することは、市民社会の育成と同様に中国の未来のための改革においてもっとも重要な二つの側面になるべきである。その意味で、薄熙来による重慶の新政は中国の地方政治に多様で新しい可能性を切り開くのではないだろうか。

　思想界の左、中、右の各派はいずれも「重慶モデル」の発展を観察しており、薄熙来の今後の行方を見ているが、実際のところは「人治による政治の停滞」という問題について考えている。「重慶モデル」の第一の推進者として、薄熙来の去就は重慶の現在の制度配置が長続きするか否か、代替不可の役割を果たしている。ポスト薄熙来時代の重慶が中国の地方政治でいかなる影響を発揮できるのか、疑問があるのは疑いようもない。政治家にとって、より広範で高い位置で政治的野心を発揮することは自然な選択であり、中央集権化された政権党による制度配置の内在的論理でもある。建国初期の「五馬進京」〔中華人民共和国の建国初期、毛沢東が当時の五大行政区の書記、高崗、饒漱石、鄧子恢、鄧小平、習仲勲を北京に異動させて地方の勢力を弱体化させたこと〕は、中央の指導力を強化すると同時に、諸侯が次第に強大になるのを防ぐためでもあった。改革開放政策の三十年、中央と地方の構造にはすでに多くの変化が生じ、地方の自主性は拡大しており、特に経済力の強い省の発言権は無視できない。しかし、蕭功秦が説く政治的な「強者」の基準から言えば、中央と地方の指導者は個人の能力とパフォーマンスの面ではあまり強くないようで、いずれも規則に従い小心翼々として、守成に余念があり革新不足だ。薄熙来はそうしたなかで間違いなく異端であった。このような構図のなかで、まず地方における突破と刷新を追求し、何年か地道に努力を重ねて新たな資源と経験を積むことが、地方にとっても個人にとっても良い選択肢になるのかもしれない。陳子明の建言は筋が通っており、中央政府で常務委員の肩書きだけで実権のないポストに就くよりも、地方で大胆に活動したほうがよいのだ。こうした話に、当事者は耳を貸すだろうか。

「重慶モデル」の第二の非制度的要素は「紅い歌を歌うこと（歌唱紅）」で、これは「重慶モデル」のイデオロギー化の主たる表現方式でもある。蘇偉教授は「重慶モデル」の特徴を総括した際に、イデオロギーの問題を避けることなく恥ずかしげもなく語ること、むしろイデオロギーを「重慶モデル」のあり方とみなしている。これこそ楊帆たちが良かれと思ってやったことが感謝もされないという原因の処在だ。蕭功秦は重慶に対して宣伝方法の改善を勧め、毛沢東左派を排斥したが、要領を得ずに処方箋を誤った。むしろ黄紀蘇のほうがいくつかの要点を見抜いていた。この新左派の劇作家は長い間にわたって紅い文化を宣伝してきたので、重慶の「唱紅」は自然と身に覚えがあるのだ。彼が見るところでは、この三十年間、政府は経済面では成功よりも失敗のほうが大きく、政治面では成功と失敗が半々で、文化面では完全に失敗して再起できないほどであり、すぐに活用できる資源もなく、賞味期限切れだが良いものを振り返るしかなかったという。この説は少し筋が通っており、執政党のイデオロギーはこの程度のものなのだ。薄熙来書記が言うように、紅い歌を歌わないなら、黄色い歌を歌うのだろうか。問題は、「唱紅」が運動のように広まって体育館が「紅い海原」になり、重慶衛星テレビが「紅い衛星テレビ」になってしまったことだ。このようにイデオロギー「化」すれば、経済的な勘定ではなく政治的な勘定をしなければならないではないか。重慶がこのようにするのは、政治的に割に合うのだろうか。

「唱紅」の総合業績は統計学を用いずとも常識的に評価でき、重慶を含めてもこのような活動が長期的に継続できると信じている人はいない。それは難しいことだとよく分かっているのに、そこに策略的な考えがあるのか、尻が頭を指揮しているのか、あるいはもっと深い謀略があるのか、知るよしもない。「唱紅」は少なくとも重慶では道徳的な頂点を占めている。それが論争を引き起こしたり、反感を買ったり、ひいては抵抗したりすることは重慶にとって重要ではない。重要なのは、このようにして党内の「重慶モデル」に対する異議を鎮めることなのだ。「唱紅」がなければ、どうして正統といえようか。「唱紅」は人々の口を簡単に塞いでしまう。この数年、社会も同様で、旧左派が何も憚ることなく人を罵る状況は、あまりにも常軌を逸している。せいぜい関係部門が個人的に注意するぐらいなのに対して、右派は大勢の前で名指しせずに悪態をつくので、下手をすると捕まってしまう。国民待遇が違うために、左派には大胆さがある。以前、旧左派は民間に多く、新左派の多くは学術界にいたが、重慶は「唱紅」によって「左」の資源が制度的統合を獲得し、その統合の基礎は毛沢東の思想的遺産と制度的遺産である。鄧小平は冥土でこれを知って、どのように思うだろうか。これまでに明らかにされている一九九一年はじめと一九九二年はじめに発表された鄧小平の二回の講話の精神に照らしてみると、十五年から二十年後に平和的な環境のなかで、新しい世代が改めて毛沢東について全面的かつ科学的な評価を下すよう望んでいた。そして、瞬く間に二十年が過ぎた。毛沢東に対する新たな評価という客観的情勢は平和的ではなく、さらに複雑になった。毛沢東の思想的遺産は現実の闘争と衝突のなかでさらに深く巻き込まれてしまった。「左」は、一種のイデオロギーを代表しているだけでなく、かなり多くの人々にとって利益の訴求を代表しており（絶対に蕭功秦が統計した中国総人口の百分の一などではない）、社会の利益の分化、ひいては階級の分化の表れである。これらの客観的に存在する現実に対して、イデオロギーの背後に潜む利益衝突あるいは民族間の衝突についてはイデオロギーを超えた研究の立場をとるべきだが、脱イデオロギーの方法で現実生活における矛盾を解消することは断じて不可能である。優れた政治家にとって、具体的な制度配置、発展戦略と関連政策を通じて、異なる利益集団、エスニックグループ、階層、派閥を調整し、さらに一歩進んで異なるイデオロギーを調整し、社会の共通利益と社会の共通認識を形成して促進することは、その政権にとって持続的な基礎であるべきだ。「重慶モデル」が長期的な地方の実験として持続し、幅広い共感を得るためには、イデオロギーの転向あるいは調整が必要である。

「マフィアを取り締まること（打黒）」は「重慶モデル」の第三の非制度的要素としてもっとも大きな論争を引き起こしており、「李庄事件」〔三一頁の訳注を参照〕が争点となった。張木生の見解は、李庄事件は重慶で行われた「ばかげたこと」だ。衆人環視のなかで、これほどまでに法と正義の一線を顧みないのは三十年来なかったことだ。なぜこんなことをするのか、これほどまでに下劣なことをするのか、どう考えても理解できず、一般の政治的理性や人の常識にまったく反している。この事件は、重慶側がどのように解釈して覆い隠そうとも、認めようと認めまいと、この事件によって支払われた代償は莫大である。

重慶の「打黒」が急進的に展開され、高く掲げられたことは、確かにはじめのうちは重慶が広範な民意を獲得するためであり、マフィアと腐敗官僚の双方を叩いて、顕著な効果をもたらした。運動のように推進された叩き方は当初から批判されていたが、「打黒」の正当性と大規模な宣伝活動が相まって、民衆はその真相を覗き窺うことが難しかった。李庄事件は重慶が自ら開いた窓口であり、これによって全国的に明らかになったとは言い難いが、しかしながら「打黒」に対する議論が広がり、もはや止めることはできなくなった。さまざまな疑惑に直面しても重慶の関係部門は意外にも一顧だにせず、逆風をものともせずに、引き続き李庄事件の第二幕を上演して、多くの人たちから後ろ指を指されるところに自分たちを置くことも厭わず、最終的には中国の法律家の巨大な圧力に迫られてばつが悪くなって幕引きとなった。自らその辱めを受けることとなり、「重慶の一大スペクタクル」のなかでもっとも堪えがたいシーンだったといえる。「打黒」は、本来、正常な制度化された行為として政府関係機関の正当な責務であり、地方の発展モデルを象徴する事件はないはずだ。しかし、重慶の政府側の説明では、「打黒」はすでに「重慶モデル」の重要な構成要素となっている。これによってもたらされた連帯効果は、「打黒」に対する疑問が「重慶モデル」に対する評価に対して必然的に影響を及ぼすことだ。「唱紅」がもたらしたイデオロギー論争の主要な根拠は異なる価値の尺度であり、率直に言って道徳の面では客観的な基準がなく、高低の区別もなく、是非を断ずることができない場合もある。しかし、「打黒」には一線があり、その一線は法律と事実であって誰しも越えてはならない。李庄事件は明らかにこの一線を突き破ってしまった。この問題をどのように総括して反省するか、重慶の関係者の政治的知恵が試されている。

あれこれと多くを語り、まわりくどいところもあった。明らかになっていることもあれば、言葉では言い尽くせないこともある。最後に、筆者の基本的な見方をまとめよう。

1　左右対立の思考を超えて、脱イデオロギー化の方法で客観的かつ理性的に「重慶モデル」を研究することと、「重慶モデル」自体が持つイデオロギー的資質とは、異なる二つの側面であり、混同してはならない。「重慶モデル」というイデオロギーの緊張がいつまで続くのか、そのイデオロギー的色彩が他の理論からの中和を必要とするか否か、それらはすべて答えのない偽りの問題なのかもしれない。学者ができることは客観的な研究という立場を堅持し、自分の価値観をいったん脇に置いて、むやみに批判せず、盲従せず、イデオロギーによる追及を出発点とせず、「重慶モデル」を中国の転換期における重要な制度的現象として研究し、そうした研究のなかから正当性、合理性、イデオロギー訴求の現実的根拠を探求し、問題の所在を探求し、それが進展変化していくさまざまな可能性を探求することである。

2　「重慶モデル」がこれまで引き起こした広範囲にわたる論争ときわめて大きな影響は、中国の改革開放政策が始まってから三十数年来のなかで、すでに地方におけるもっとも重大な事件となった。中央政府の重大な施政方針の下で、地方における統治の理論的主張を大々的に打ち出し、地方の自主探索と自主発展を高らかに実行し、政府の優位性を集中して各種資源を存分に整理統合し、紅い伝統とイデオロギーの方向性を際立たせ、学界がその経験を新たな社会発展モデルとして高めるよう奨励することは、中国の転換期における地方政治の発展の多様性を促進するために積極的な意義を有し、地方自治における新たな局面を開拓するかもしれない。

3 「重慶モデル」の民生重視の指向とそれに対応する制度配置は、中国が発展主義戦略から福祉主義戦略へ移行する過渡期にあるという基本的な趨勢を具体的に表しているが、この流れは民意にかなったものだ。もし、現在の「唱紅打黒」というイデオロギー色の強いやり方があまりにも極端すぎるものでなければ、重慶の経済発展戦略や政策は、より広い範囲で支持されていたかもしれない。実際には、民意に訴えることが可能な方法は他にも多くの選択肢があり、重慶にもまだ多くのカードがある。たとえば、重慶は民主と法制を声高に主張し始めたが、この二枚のカードを本当にしっかりと使って党内の民主と社会の民主を着実に探求するならば、あるいは左、中、右を真に統一して、新しい社会の共通認識をリードすることができるかもしれない。

4 「重慶モデル」の主要な制度配置は依然として国家主導の社会（市場）発展モデルであり、国家主義体制、権威主義体制あるいは新保守主義体制と言ってもよいが、学理的に細分化する意義は大きくない。国家の主導的地位は市場メカニズムと結びついており、中国の既存の制度配置の全体的な特徴であり、中国が三十年の間に急速な経済発展を遂げた制度的要因でもある。「重慶モデル」を突破するのではなく、このような制度配置に基づいて発展主義から福祉（民生）主義への移行を調整し、引き続き政府の力を大規模に運用して資源の統合と民生重視のプロジェクトを開発する。国家主導による社会発展モデルの相対的優位性は、重慶ないし中国では依然として長期的に継続していくが、その内在的な問題と弊害も日増しに露呈するだろう。現体制の下で市民社会を培い、憲政によるガバナンスを推進し、民主政治と地方自治を完成できるか否かは、中国社会の現代における転換の次なる一歩である。その一歩を踏み出さなければ、中国の前途は開けないだろう。

重慶事件の最高位の当事者であった薄熙来は、暗然と表舞台から去るまで、中国の権力構造における強力な政治家だとみられていた。彼は重慶で法定の任期を全うできなかったが、前代未聞の大きな動きと激しい論争を引き起こした。省レベルの首長として、自らの手で一連の大胆で常軌を逸した事件を演出し、重慶において絶対的な権威と独裁者の風格を明確にしただけでなく、中央高官の活動にも直接的に影響を与えていたようだ。強権的な手法によって重慶で大芝居が打たれている頃、多くの政治局常務委員と政府高官が彼を持ち上げ、当時物議を呼んでいた異常なやり方を高く評価していた。このような待遇はどの省の長もが享受できるものではなく、強い政治家の気質を持つ者でなければ、ここまでハイテンションで事を進め、上からも下からも賛同を得ることはできなかっただろう。

政治学者の蕭功秦教授はこのところ一貫して新保守主義を主張しているが、重慶に視察に行った後、「重慶モデル」を新保守主義が現実化したモデルであると捉えている。その主な理由は、重慶には他の地域にはいない強い政治家がいるからだという。揚帆教授は薄熙来を「左派エリツィン」と呼び、より具体的に評価しているが、このことに多くの説明は必要ないだろう。地方で勢いを増し、中央で政権の座を奪おうというのが、薄熙来とエリツィンの共通点だ。異なるのは「右派エリツィン」は成功したが、「左派エリツィン」はあと一歩のところで失敗しているということである。どこに原因があったのかは研究する価値があるだろう。筆者は以前書いた文章に、このような見方を示したことがある。現有の権力構造と政治文化において、中央から地方に行って権力を掌握する者は、一見強くは見えないが、おおよそ慎重な態度を貫き、低調に事を進め、迂闊な発言をしないようにしている。特に権力交代の時期には、適当な時期が来るまで能力を隠して雌伏する。つまり、弱い者を押さえてから取り掛かろうというのであり、政治的な性質は明らかにはできない。このような大きな環境の下で、重慶の前書記は強者のイメージを示し、山が雲の上まで出るかのようにのし上がってきた。筆者はもともと、中国の政界におけるこうした変化を見るのが好きで、この状況についても積極的な評価をしていた。ここ十年来、改革は二の足を踏んでおり、制度はまったく刷新されず、思想は活気がなく沈滞しており、ナマズを一匹放り込みでもして、この凝り固まった構造を打開して地方を活性化しなければ、中央はより積極的な改革案を提示することができない。今の状況は現実を踏まえない理想論であり、情勢の発展は善意の想像と推測に基づいており、次第に真相が明らかになると、専制政治のもっとも暗黒でデタラメな一面が見えてきた。ここで筆者は、強者政治と権威主義政治に関わる問題を考えてみたい。中国の転換期において最後に登場した強者に見える人物は、いわゆる重慶の「新政」において、過激な手法を独断専行し、国家主義の道を強力に推し進めようとした。「紅い歌を歌い」左翼の国粋主義者に迎合し、意図的に主流の民意に対抗し、「マフィアを取り締まる（打黒）」ことで法律と道義のボトムラインに挑戦し、人と神の憤りを恐れない。しかし、衆人が言うところの、外見は強そうだが内心は弱いのであり、結局のところ、敗勢を挽回することはできなかった。彼の姿勢が示すのは、政治的な強者は民意と歴史の潮流に合わせることができず、実質が伴わない堅物であり、最終的にはさっさと退陣するしかない。

清朝末期に帝国が解体されてから、中国の統治は権威主義体制に置かれており、この制度的措置を決定する主な要因は政治的強者の存在であった。歴史の舞台において、順番に二人から三人の英雄が登場している。つまり袁世凱から蔣介石、毛沢東に至るまで、中国の近代史は彼らの盛衰によって区分され、それによって、北洋政府、国民政府、中央人民政府の異なる歴史を作り出した。毛沢東はついに湖南の田舎で頭角を現し、林彪の言うところの大英雄となったが、これは正統史観によると歴史の選択だという。それには理解できるところもある。小さな存在だった中国共産党が、燎原の火の如く勢いを増したのだ。指導者の並外れた能力と堅強な性格がなければ、何も達成することはできなかっただろう。歴史が政治的強者を輩出するのであり、孟子が言うように、天が地上の人に大任を下そうとするとき、まずその人は心を苦しめ、肉体を痛め、餓えに苦しまなければならない。これは歴史的な選択だ。中華人民共和国を建国した毛沢東はあらゆる苦難を乗り越え、多くの犠牲を払った。一夜で成し遂げたことではなく、彼の合法性と正統性は武力強化に基づく人心の掌握あってのことだ。当時は衆望を担っていたのだ。無尽蔵の政治・軍事競争では勇者が勝ち、賢者が勝つ。これは公正な競争とみなすことができる。ここに毛沢東の信条がある。きわめて弱い勢力がほぼ独力で勝利を収めたのだ。世界史において、このような英雄がどれだけいただろう。名実共に毛沢東が政治の強者であるということに、議論の余地はない。

　王位に就いた後の毛沢東の権威は元朝に挑むほど大きく、おそらく歴史上比類のないものだ。秦の始皇帝、漢の武帝、唐の玄宗、宋の太祖、チンギス・ハーンはいずれも中国を建国した有名な皇帝であり、スーパー君主だが、毛沢東にとって、彼らは弓を曲げて鷲を撃つ方法しか知らない乱暴な男たちにすぎなかった。普通の人はどうしてそんなばかげた考えを思いつくことができるだろうか。毛沢東は自分の歴史的業績に関して、これらの偉大な皇帝と比較できるかどうかについて、あえて言わないのではないか。歴史家には定評があるはずだ。しかし、個人の権威に関しては、毛沢東の権力はこれらの皇帝を上回るだろう。チンギス・ハーン、始皇帝、漢の武帝、唐の玄宗、宋の太祖に代表される帝国中国の最高統治者たちは絶大な権力を持っているものの、自分のやりたいことは何もできず、思想を構築し、解釈する権限を儒者に委ね、国家のガバナンスの権利を宰相に与えている。漢の武帝の手法は「百流の思想を排斥し、儒教のみを尊重」する文化的専制主義とみなされていたが、儒学が漢王朝以来、帝国のイデオロギーとして認められると、皇帝がどれほど暴君であっても皇帝のイメージを表すことはできず、教育を受けなければならなかった。当人の意思に関係なく、宮廷で儒学者たちの高説に耳を傾けなければならず、権力の法的問題についても儒家によって説明されなければならない。宋王朝の儒学者は、神秘的で超越的に見える心性の問題について論じている。しかし、立脚点は依然として皇帝の教化であり、誠心正意、修身斉家、治国平天下を貫き、道統〔儒教の道を伝える聖賢の正系〕によって政統〔集団的な政治実践〕を行う統帥の役割を強調する。皇帝の独裁政権の下では思想文化の制約があり、帝制の良好な運営と必要な正統性を維持することが非常に重要であり、無視することはできない。しかし毛沢東は政治的権威を集大成する人物として党、政府、軍隊の権力を独占し、絶対的真理の所有者であり究極の解釈者でもあった。彼は思想の預言者かつ理論家であり、党のイデオロギーの創始者であり、思想の正しさを最終判断する人物である。偉大な指導者と偉大な教師、政統と道統は一つであり、権力と権威は頂点に達すると言える。林彪による最終的な演変では「毛主席の言葉はすべて真実であり、一文は一万文に値する」のである。政治的専制とイデオロギーの迷信は、比類のない強固な権威主義体制を築き上げ、人々の心に広く深く浸透している。

　毛沢東の絶対的権力を核として確立された党＝国家体制に対して、政治学者は全体主義、独裁主義、中央集権的専制主義といった厳しい言い方や、全能主義、権威主義、国家主義といった比較的中性的な言い方をしている。それぞれ異なる政治概念だが、同じタイプの政治制度と政治現象である。つまり、権力は一人の手で高度に独占され、政治的強者が制度全体の運営を決定し、支配する。強者政治は権威主義政治であり、両者は一つの制度の両面をなしている。二十世紀の政治制度の歴史から見ると、このような政治的強者に依存する権威主義的な制度的措置は中国だけのものではなく、世界のほぼ半分を占めている。社会主義陣営の基本制度はこの種のタイプのものであるが、それだけでなく、西側資本主義の中核国とその周辺地域にも強者政権、軍事政権、独裁政権が広く存在する。第三世界の国々では、政変によって大統領になった少佐や大尉が少なくない。当時、一人の人物が国の運命をコントロールすることは、制度上の通常の選択だった。その時代の有名な政治指導者には、フランコ、ナーセル、スカルノ、朴正熙、金日成、チトー、ネ・ウィン、ペロンなど、カリスマ的な資質を備えた政治的強者がいる。こうした人物はそれぞれの国において中国における毛沢東のような存在であり、巨大な権力を掌握する勝手気ままに振る舞う人物だ。当然、人の歴史は国の歴史であり、長期にわたって維持することはできない。ここでより深い道理を説明する必要はなく、「人が死に、政府が休む」というルーティーンを除き、ほとんどの場合、独裁国家は強者による統治を経験した後、遅かれ早かれ、能動的、あるいは受動的に、立憲民主主義国家へ移行する。この間には浮き沈みがあるが、世界の流れは強力であり、従う者は栄え、逆らう者は滅びる。積極的な変革は社会不安を回避し、社会が整然と立憲民主主義体制に移行するのを可能にする。受動的または強制的な変革は社会的紛争を引き起こし、変革のコストを増加させる。前者の成功した国々は、韓国、台湾、東欧、ロシア、南米などで、後者の失敗した国々は中東の一部の国々であり、典型的なのがムバラク、カダフィなど昔日の強者であり、数十年も権力の座に居座り、国を自らの私有財産のように捉え、民衆に権力を返還することなど考えもせず、結局、民衆蜂起のなか、荒野で惨殺された。檻のなかで裁判にかけられ、地位も信用も失って完全に失敗し、悔やんでも後の祭りである。

　世界の他の権威主義国家の変化と比較すると、中国の社会的・制度的変化はより複雑な状況を呈している。文化大革命の終結後、執政党は毛沢東の権力独占の問題を深く反省し、毛沢東個人への崇拝と迷信を厳粛に清算しようとした。鄧小平が一九八〇年に書いた『党と国家の指導体制の改革』は次のようなことを認識した改革綱領である。すなわち、党と国家の制度上の主な問題は「官僚主義の現象、権力の過度の集中、家父長制の現象、幹部職務の終身制、その他さまざまな特権」であり、「中央の高度な集権管理体制が管理すべきではないもの、うまく管理できないもの、管理しきれないものを管理している」。「権力の過度な集中、党の一元化された指導を強化するというスローガンの下で、すべての権力が適切に分析されずに党委員会に集中し、党委員会の権力は数名の書記に集中している。権力は特に総書記に集中し、あらゆることにおいて書記が指揮を執り、最終決定を下す。そのため、党の一元化された指導はしばしば個人による指導になる」。こうした言葉は比類のないほど鋭く、おそらく鄧小平だけがあえて言うことができるのだろう。鄧以降、これよりも重いことを言ったトップリーダーはいない。言うまでもなく、制度の問題を除去しようとする実際の行動があるということだ。つまり、依然として政治的強者という現象から、その根源を見つけなければならないのだろう。

　鄧小平は疑いなく、中国の政治的強者の血統を受け継ぐ重要な位置を占めている。毛沢東に代わった彼は、復活後の党内序列は第二位だったが、執政党の二代目指導者の核心と自認し、公にも認められた。このような権力構造は前例のないものであり、一線を退いてからも裏で実権を掌握するという手法は、鄧のプラグマティズムがきわめて徹底していることを表している。地位などどうでもよく、実権さえあればよいというわけであり、鄧は政治家として高みに至っている。文化大革命後、中国は捲土重来を期した。党の制度の構築を含む、前出の文書で鄧が提起した問題は、中国社会の正常な発展を著しく妨げていた。どう変えるべきか。誰が決めるのか。誰が拍子を取るのか。最初のきっかけはどこから来るのか。制度的基盤がない場合、個人の権威的行動と電撃的手段によってしか、改革のプロセスを開始することができない。鄧にとって、この歴史的責任を負うことは唯一の選択であったに違いない。鄧は毛沢東の独断的な行為を厳しく批判し、それによって深く傷ついたが、中国の経済改革を推進し、最高権力の交代を決定する過程における老人政治の影響力を弱め、自らの独断的な行為を止めなかった。そうすることによって、毛沢東が享受していた最高の権威を享受したのである。毛沢東と根本的に異なるのは、鄧小平は独自の権限を行使して中国を正常な発展の軌道に乗せ、執政党の改革開放路線、すなわち、市場志向の発展戦略を確立したということである。一九九二年には、九十歳という高齢の身で南巡講和を行い、余力を振り絞って流れを変え、軌道から逸脱していた中国を正しい軌道に乗せた。これは歴史に名を刻む偉業だといえよう。

　鄧小平は政治的強者の身分を使い、権威主義的な方法によって制度改革と市場経済を推進した。政治学者はこのような政治現象を新権威主義とするが、毛沢東時代が政治と経済をすべてコントロールする形の古い権威主義だったのに対して、新しい権威主義は制度設計が効率的で正統性を有する「東アジアモデル」の成功事例であり、他の権威主義国家の社会変革においても普遍的に見られる移行期段階である。一九八九年に沸き起こった新権威主義に関する大論争は中国の改革の方向性に関わるものであり、鄧小平は明確に新権威主義に賛同するとの態度を示した。中国のように大きな国が対応すべき問題は多岐にわたり、それゆえ政治的な安定を保持することが改革を進行する前提となる。鄧は南巡講和の後、新権威主義の手法で国家が主導する社会（市場）発展モデルを導入した。制度設計の主な特徴は、政治改革を停止し、政治権力を高度に独占し、経済面では市場化を進めて資源を配置し、資本の合法性を確立するというものである。このような発展モデルの効果は顕著であり、二十年という短い間に中国経済は急激に発展し、経済規模は世界第二位となった。鄧小平はあの世でこのことを知り、自らがこの制度を選択したことに深く満足しているだろう。

　新権威主義は本質的に一種の移行期の制度的措置であり、政治的強者が亡くなれば停止する。つまり、権威主義体制の終焉を意味するが、現在の中国ではそうはならなかった。ポスト鄧小平時代、中国の強者政治は終わりを告げると考えられたが、鄧がいなくなってからも権威主義的政治は依然として根強く残っている。中国は政治的強者のいない権威主義時代に入った。その主な特徴を個人的権威から見ると、鄧以降の最高指導者の権威の資源は減少し続けている。ここ二十年の間、執政党の最高権力の移行はおおむね整然と行われており、特別な任務を完成させるために特別な手段を必要とするようなことはないが、二期の間に鄧のような強大な政治的権威を蓄積することはほぼ不可能だ。執政党の権力の配置から見れば、集団指導体制が確立し、総書記が中央政府の「核心」であるとの文言はもはや使われなくなった。個人の権威が弱体化し、集団の役割が顕著になっている。執政党の役割について見れば、権威主義制度が一種の「党＝国家体制」と表現され、執政党が政治的強者に代わって権威主義制度の主体になった。いわゆる国家主義制度において、真に決定的な役割を果たしているのは執政党そのものだ。

　執政党主体の権威主義体制の効果的な運用によって、個人の役割は大幅に弱まり、指導者の権威は衰退し、政治的強者は存在しなくなった。これが目下の政治の状況だ。高い地位に就く者は毛沢東や鄧小平のように絶対的な権力を望まないが、命令には必ず従わせ、思うがままにしてきた。しかし、歴史が彼らに数十年の猶予を与えることはない。彼らは生死を分ける争いのなかで、自ずと権威を蓄積している。本質的に保守的で、ルールに従って行動する場合、強者の態度を推測することはさらに難しい。強者がいなかった時代、重慶の書記の大胆で辛辣な統治スタイルは印象的で、珍しいものだった。既存の体制においても、政治的強者のアプローチを最終的に試すことができるのはおそらく薄熙来だけだろう。党内で一般的になっている方法でプレイするのではなく、派手に宣伝して政治的旋風を巻き起こし、大々的に理論、綱領、行動の各方面で推進する「重慶モデル」は、まるで新しい国政を地域で予行練習したようなものだった。政界の凡庸な雰囲気のなかで薄熙来が大胆に打ち出した新しい手法は、人々に多くのことを連想させた。九人の常務委員会メンバーのうち六人がそれを支持したのは党内においては正当なことであり、政党の正統性にも合致する。ほとんどの傍観者から見れば、彼がこの名誉を享受できるのは当然のことであり、それは彼の美徳や能力ゆえではなく、特別な共産党幹部の家庭環境ゆえである。それによって、彼は他の人には得られないような資源と人脈を掌握し、高い地位を奪い取ろうとする特殊な勢いを得たのである。

　エリツィンやプーチンのような政治的強者が中国に登場する時は、特殊な事件によって劇的な終焉を迎えるので、左派を深く失望させ、右派を大いに喜ばせるものだ。この出来事に対するまったく異なる社会の反応は、薄熙来の失敗の根本的な原因を如実に表している。彼が辞任に追い込まれた決定的な原因は、真に幅広い国民の支持が欠如していたからであり、彼が民心を失ったのは、その行為が大多数の人々の利益と願望に背いていたからである。鄧の権威が改革の初期段階で合法性と正当性を有し、人々に理解され、受け入れられたのは、彼が自らの権威を使って中国の社会経済の発展を正しい道へと導いたからだ。エリツィンとプーチンが民主主義時代に強大な個人的権威を享受し続けたのも、彼らが国民の自由な選択を経て、国民の承認の下で権力を行使したからである。民主主義と法の支配の軌道から外れ、人々の根本的な利益から乖離していれば、個人の権威はまったく確立できず、たとえ運よく成功したとしても、遅かれ早かれ馬脚が現れ、人々に見放される。

　執政党の権力交代が始まり、次代の指導者が現れようとしているなか、三十二年前に鄧小平が掲げた党＝国家体制の改革をどのように進めていくべきか、人々は注目し、考えている。今後は政治的強者が存在しないかもしれない。政治的強者が存在しない時代の条件下で、どのように権威主義体制を立憲民主主義に移行させるのか。これが、中国が現在直面している最大の問題だろう。この問題をどう解決するかによって、中国の将来と人々の運命が変わる。これについて、筆者は次の三点を提起したい。

1　改革を進める第一の推進力はなにか

中国の改革の最初の推進力は、間違いなく、鄧小平の知恵と決意から生じている。既存の体制では、社会全般の願望を実行可能な政策と行動に変えられるのは、執政党の意志を通じてのみである。鄧小平の決意と権威がなければ、中国の市場経済化の改革は正常には開始できなかった。一九九二年の南巡講和がなければ、中国はどうなっていたことか。政治的強者が存在しないなかで、改革をさらに進める力とは？　この十年の間、左派、中道派、右派の間には大きな分断が生じていたが、彼らは共に、中国の行き詰まった改革の現状に不満を抱き、執政党の腐敗が日増しに悪化しているとの認識を持っている。累積する社会矛盾や社会的リスクに対しても憂慮している。

中国が現在直面している多くの問題は、改革によってのみ完全に解決し、イデオロギーの違いを解消する合法的な手段を見出すことができる。改革の苦境の根本的な原因は、執政党に「鍵になる人物」が欠如しており、鄧小平のように勇気と当事者意識を持ち、歴史と人民に責任を負う者がいないことにある。改革の第一の推進力は国王の帰還を期待したり、政治的強者の復活を求めたりするのではなく、執政党と社会の合意との相乗効果を、蒋経国のような政治家が持っていた良心を求めることにある。政治家は国民の意思に即して歴史の流れに順応し、国民と共に歩んでこそ、正当な権威と崇高な威信を得ることができる。

2　権威主義制度は機能し続けるのか

過去三十年間、中国の権威主義的な制度的措置が有効であったことは、議論の余地のない事実である。高度な形式的集中と独占を前提にした経済の急速な発展は国に富をもたらし、国民も相応の利益を得ていることから、権威主義的な制度的措置は合法的な基礎を築いた。国民は権威主義的な支配を受け入れ、一部またはすべての政治的権利を執政党に譲渡した。それは、客観的に見て、経済発展と富の創出によって、国民が権力譲渡に対する一定の補償を得られるからである。国民は広く利益を得ているという現実を前に、政治的独占を条件とした経済発展という不均衡を一時的に受け入れている。経済のさらなる発展に伴い、中間層が台頭し、市民社会が初期的に形成されたが、経済構造には多くの問題が出現した。貧富の格差が急激に拡大し、少数の人々に利益が集中し、特権的な資本家階級と既得権益層による社会的資源の支配が顕著になっている。これらのプラス要因とマイナス要因が同時に組み合わさり、社会内部には危機と衝突が生じ、社会の権威主義的な管理は根本的な課題に直面している。人々は長期に及ぶ政治権力の喪失を容認しないだろう。遅かれ早かれ、政治意識に目覚め、危機を通して制度に関わる根本的な問題を探り、権威主義制度の合法性の基礎を再検討するはずだ。そして、最終的には政治権力の確認を要求し、人権、自由、法の支配、民主主義を主張するだろう。権威主義的な政治体制は政治的権威を失い、一連の制度上の問題に対応できず、効果的な統治方法を見出せない政治的強者の再生産を停止する。根本的に言えば、世界が民主化に向かう時代において、権威主義体制はもはや存続できず、正当性を失っており、世界における政治の発展の普遍的な法則に従えば、政治的変革を実施し、立憲民主主義体制を確立しなければならないのだ。

3　執政党は自己改革によって政治変革をリードできるか

ポスト鄧小平の時代、執政党による全面的な権威主義政治の支配が、中国の権威主義制度を持続的かつ安定的に運用する要因となっている。世界の他の権威主義国家とは異なり、中国の国家権力は個人や政治家一族によってではなく、執政党によってコントロールされている。八千万人の党員、二億人から三億人のその家族や親族、さらにその利害関係者を含めると、執政党関係者は中国の人口の半分を占めると推定される。執政党の自己改革が徹底的に行われるか、成功するかどうかは、中国の社会政治改革が順調に進むかどうかに直結する。執政党が一体であるということは、執政党が一枚岩の利益共同体であり、権威主義政治を共同で運営しているということを意味するのではない。逆に、社会的分裂や内部矛盾が執政党内にもろに影響しているのであり、特権的資本家階級と既得権益層はごく少数に限られ、大多数の党員は立憲民主主義に賛同しているのである。執政党の自己改革の基礎は客観的に見て存在しているのであり、重要なのは改革に対するコンセンサスを強化し、改革に向けた推進力を形成することである。特に、執政党の幹部は改革への決意と勇気を持ち、意識的にトップダウンで改革の設計を行い、正しい道を確定するのだ。世論と時代の流れに応え、チャンスをつかみ、断固として政治変革を導き、立憲民主主義国家の建設をリードするのである。そうしてはじめて、執政党と中国に希望が生まれる。

第四章　重慶の神話化と脱神話化

現在は疑いもなく凡庸な時代である。人々は、瞬く間に消え失せるヒーローを持てはやし、新奇なことにツバを付けるオピニオン・リーダーに関心を向けるだけで、名だたる人物、特に政治的人物など崇拝しなくなっている。この二十年来、政治家は毎日、テレビや新聞のトップ・ニュースを独り占めして立ち回るが、公衆に深い印象を残していない。まして好評を博することなどない。公衆の目には、同じ服装で、ステレオタイプの言説を語り、大同小異の表情を浮かべる特殊な人物に見える。彼らの権威や掌握した権力は等しくないので、ある程度の歳月を経れば、もしかしたら、彼らの実態や才覚は、厳密な歴史学者の伝記で公表されるかもしれないが、これはおそらくポストモダンや脱構築の時代における普遍的な特性の一つと言えるだろう。壮大な物語を消し去り、英雄の崇拝を転覆させたのであり、輩出した偉大な強者による政治という二十世紀は永遠に過ぎ去り、もはや逆行することはない。

「時に英雄なし、豎子をして名を成さしむ」〔『晋書』阮籍伝〕という。重慶の風雲児の浮沈は、古来から伝えられた格言を再確認させた。薄熙来は、重慶の政治を主宰した数年、闇雲に突進する政治手法で人々の関心を引き付けた。特にポピュリストや左派の目にはマオイズム的指導者が再登場したように見えた。「唱紅」〔革命歌キャンペーン〕による大衆動員は文革の再現となり、個人の政治という色彩を再び帯び、一個人の名で一筋の発展の路線や政治の綱領がまとめられ、未来のビジョンが示される。執政党による六十余年の執政の歴史において、これはきわめて稀な現象であった。すなわち、一地方の君主が全局面において主役を演じ、一個人の力で活気のない政局をかき回し、一連の現実的また潜在的な危機を誘発し、凡庸な政治のなかに孕まれていた巨大な変数を顕在化させた。このことは茶飲み話や会食の雑談ですますわけにはいかない。冷静に振り返り、理性的に総括することが必要である。重慶事件は一人が主導して偶発的に起きたもののように見えるが、まだ深刻な結果が予測できていないだけである。つまり、これはけっして孤立した個人の事件ではなく、無数の人間が絡みあい現実的な力を形成した結果である。左派が長期にわたり公の場での政治的指導者を出してこなかったことを踏まえれば、これは重要な転換であった。彼の顕在化は多重的な意味を有している。司馬南が「西南の半分に一本の柱を傾けさせる（半壁西南一柱傾）」と吐露した通り、多くの左派は個人に大きな期待を寄せていたが、今やその希望は打ち砕かれ、英雄の夢は幻となった。彼らはこれをどのように総括するのだろうか。

　重慶事件の後、かつて「重慶モデル」を積極的に鼓吹していた楊帆教授は反省し、総括したが、それは極左の勢力が自分たちの英雄を破滅させたという認識であった。「烏有之郷〔ユートピア〕」というサイトに掲載された一連の文章は完全に文革期のほめそやす論調であり、重慶の経験を極左の立場で解釈し、重慶の指導者を毛沢東流の社会主義事業の指導者とみなした。実際、この論法は「毛沢東左派」の勢力のエネルギーを高めたが、最終的に薄熙来書記解任の深層における原因となった。それは数人の文人の文章などでできることではけっしてなかった。確かに「烏有之郷」は全力で新たな神格化の運動を推し進め、はばかることなく毛沢東を崇拝したように政治的スターを崇拝させた。「薄熙来の歌」がネットで流された。それは、感情のこもった歌声を聞くと自然に崇拝や感恩が湧きあがるように作詞作曲されていた。かの「マフィア打倒の英雄」〔王立軍副市長。内モンゴル出身で、遼寧省の公安部門で昇進し、二〇〇八年から重慶市に移り、薄熙来の腹心として公安局長となりマフィアだけでなくその後ろ盾である公安・司法幹部も取り締まり「マフィア打倒の英雄」と称された〕にも、左派は大きな期待を寄せ、正義の化身とみなしていたため、その「出奔」は痛恨の極みであった〔王立軍は、二〇一一年二月六日、四川省成都市のアメリカ総領事館に駆け込み、政治的保護を求めたが、受け入れられず、速やかに身柄は中国側に引き渡された。翌一二年九月、成都市中級人民法院は王に懲役十五年の刑を言い渡した〕。学者たちは学術的な方法で感情を表現した。「重慶モデル」を学術的に論証するときも、理性で激情を覆い難く、紙背や行間から想像や賛美が満ちあふれ、冷静さや客観性を捨て去って省みなかった。このような現象は、筆者の観点からみれば、イデオロギーの問題であり、政治文化の問題でもある。その実質は政治における迷信や個人崇拝が主である「神格化政治」であり、各種の動員された、あるいは自発的なキャンペーンを通して捲土重来で復活した。その影響や結果について、十分に見通すことが求められる。

　文革が終息した後、執政党は社会全体の共同参加と思想解放運動〔一九八九年十二月の党中央工作会議で鄧小平は「思想解放は当面の重大な政治的問題である」と述べ、これに続く第十一期三中全会でもこれが改革開放路線の基本方針の一つとして承認された。この時期、北京西単の「民主の壁」をはじめとする民主化運動が広がった〕を主導し、文革の起因や毛沢東の政治的錯誤に対する深刻な反省や清算を行った。それは文革の実質が現代における「造神」運動で、毛沢東の政治的かつ思想的な権威を大々的に樹立し、毛沢東の個人崇拝を迷信にまで推し進めたという共通認識に至った。「毛主席のよき学生」であった柯慶施〔一九六五年に国務院副総理に就任し、文革の発動では江青を後押ししたが、同年に急逝〕の言葉がよく知られている。それは「毛主席への信頼を迷信にまで到達させねばならない。毛主席への服従を盲従にまで到達させねばならない」であった。まさにこのような迷信と盲従でできた政治的環境では党内に民主制度は根本的に確立されず、また国家の法制度も跡形もなく消え去った。毛沢東の「聖旨」が政策になり彼の一言一句が国家の生死存亡に関わった。文革の爆発は完全に毛沢東が画策し推進したものであり、全党と全人民はことごとく引き回され、誰もただ中国が毛沢東の操るままに深淵に向かって奔走するのを見ているだけでどうすることもできなかった。毛沢東が自然死してようやく、人民は災厄から逃れることができたのである。

　国際共産主義運動の歴史において、党の指導者が政界から天上界に入る初期段階ではいかなる合法性もなかった。マルクスとエンゲルスは「第一インターナショナル」〔国際労働者協会の通称〕の基礎をおおよそ民主的な方法で形づくろうとして、「独裁を必須の条件とする陰謀熱をいっさい締め出し」て民主的選挙の方式を用いることを主張した（中国語版『マルクス＝エンゲルス選集』第四巻、一九六頁）。マルクスは「エンゲルスと私が最初に共産主義の秘密組織に参加したときの必要条件は規約における迷信や権威を助長する代物を破棄することだった」と述べた（中国語版『マルクス＝エンゲルス全集』第三四巻、二八九頁）。彼らは党の指導者の権力の膨張を防止するために「党内の官吏——我らの召使い——に対して遠慮し過ぎてはいけない。完全無欠の官僚だとして、何であろうと服従し、批判しないということではいけない」と強調した（中国語版『マルクス＝エンゲルス全集』第三〇巻、三三三頁）。彼らからみれば、党の指導者は理論と実践において運動を断固として進める力を持ち、現実に合致して指導しなければならない。指導者の力量は大衆のなかに身を置き、絶えず大衆の豊かな実践のなかから養分を吸収するところになる。もし自画自賛し、誇大妄想になり、お役人を気どるならば、運動にとって破棄すべき障害物になり、最終的に大衆から見捨てられる。ここで文献を引用したのは、レーニンが党を組織してから進めた一連のやり方は、マルクスやエンゲルスの伝統から完全に背離したことを明らかにするためである。レーニンの党は集中制、規律、特殊な材料で作られたものとしての党員、そして指導者の決定的な役割を強調する。この組織の路線はスターリンをもたらし、彼は独裁専制のシステムを作り上げ、党内の反対派や異議者に対して残酷な闘争を行い、無情に打倒し、肉体を消滅し、それと同時にさまざまな手段や方法を動員して自分の個人崇拝と迷信を大々的に編み出した。スターリンの晩年には、党内で彼の恥知らずなちょうちん持ちがあふれ、フルシチョフはうやうやしくスターリンを父親で太陽だと持ち上げた。このようにして国際共産主義運動で延々と続く神づくりの運動が始まった。共産党の指導者は基本的に一方で暴力的な専制政治を以て赤色テロを実行し、もう一方で個人崇拝を以て愚民政策を実行する。毛沢東時代に至り、神づくりの政治運動は最高潮に達し、毛は「紅い太陽」、「大いなる救いの星」、「全世界人民の偉大な領袖と讃えられ、人民は彼に拝礼し、五体投地し、徹底的に信服した。現在、三世代の金（金日成、金正日、金正恩）の統治下におけるさまざまな行いに、大多数の中国人は荒唐無稽の極みだと思っている。飢餓にあえぐ人民が声高く歓呼し、歌い踊り、この上なく幸福だという状態を見せている。このような社会主義の看板を掲げた熱狂的な光景は我々の昨日の歴史であり、正しく「殷鑑遠からず」（『詩経』）なのである。

神学による政治は、人類社会の発展過程において普遍的な現象であり、とりわけ強大な宗教が伝統となっている国家では神学の方式で政治を行うことが避けられなかった。ヨーロッパ中世における政教一致では、世俗〔教会法（ラテン語で ius ecclesiasticum）に対して世俗法（ius civile）があることを踏まえると、「世俗」については市民社会を参考にできる〕の政権の合法性は神や教皇から授与されたが、その制度の弊害はきわめて大きかった。ヨーロッパの神学政治を転覆させたルネサンスと啓蒙運動は本質において「脱神格化」の運動であり、その内容の核心は理性化と世俗化であった。理性化とは、科学的な方法で自然、社会、人類に対し、知を力とし、愚昧を諸悪の根源として、理性の力により人々の思想や行動を束縛する神学のくびきを徹底的に断ち切ることである。世俗化とは、ヒューマニズムの方法で人類自身に対し、人間性を解放し、欲望に従い、物質的要求を重視し、「経済人」の原則によって社会の富を作り出し、社会を発展させることである。理性化と世俗化という制度的現象形態は、工業化、市場化、専門分業化など一連の経済制度の配列となり、政治制度の配列の民主化につながり、教会から独立して知識を伝播する大学制度の形成に及び、社会思想の多元的発展を促す新聞出版制度を発展させる。このような制度的配列は現代社会の基礎を構成し、政教を分離し、神学が愚民化の手段でなくなり、政治家が神懸かりを見せて人をたぶらかすことの合法性を失わせる。

中国の思想解放運動は本質的には思想啓蒙運動でもある。所謂「非毛化」は毛沢東時代の政治神学からの「脱神化」である。執政党は社会全体を指導し、一方では思想的に文革を徹底的に否定し、個人への崇拝・迷信を徹底的に否定し、毛沢東の政治的過ちを一応は清算し、毛沢東を政治的な神殿から地上に引き下ろし、本来の姿をできる限り回復させた。他方、体制の改革を積極的に発動し、市場化や世俗化のプロセスを展開し、経済法則に従って経済活動を進め、人間性を尊重し、人民の金をもうけて財産を築こうとする欲望に順応し、これによって社会発展の巨大な原動力を形成し、社会進歩を推し進めた。三十年の改革を通して経済は迅速に成長し、世俗の理性が主流となった。毛沢東流のイデオロギーとドグマはまだ理論の上に祭り上げられているが、人民はお寺の菩薩にぬかずいて拝んでも、もはやかつてのように自分の運命を偽りの政治的偶像に託すことなどしない。思想から制度への転換は、まさに中国社会が全面的に「脱神化」のプロセスを進んでいることを反映している。経済は市場のルールで動き、人間は理性的に思考し、社会は法律を基準とし、国家は憲政・民主で構成されるようになっている。当然、これは趨勢であって、現実の中国はいまだに理想の状態に達してはいない。執政党には重大な腐敗が日増しに現れ、政治的信頼はかつてないほど失われ、さらに社会の不公平は巨大になり、貧富の差は拡大している。公共道徳の資源はほとんど枯渇している。これらの問題の解決策に関して、社会では大きな相違があり、方途の選択はきわめて困難である。一部は毛沢東時代が恋しくて、当時のみな等しく貧困であったことを理想的な状態として、毛沢東の思想的・制度的な遺産が目下の問題を解決するための主要なプランと考えている。「左転〔左傾への転換〕」は、ただたんにイデオロギー的な要求ではなく、制度や利益の要求でもある。このような状況下において「重慶モデル」が時運に乗って現れた。その目標は明確で、左派とポピュリズムによる直接的な要求、政府主導の要求、紅いイデオロギーの要求、超法規的な専制手法の要求であり、民生経済、「革命歌」と「マフィア打倒」という「非常手段」をもって「遅れて来た者が先の者を追い越す」〔薄熙来の信条といわれる〕ことに力を注いだ。

「重慶モデル」は中国西南部の一隅から全国に影響を及ぼし、支持の声は執政党の内部や学会の新左派だけでなく、民間でも大きな反響を呼んだ。とりわけポピュリズムの毛沢東左派の陣営からは拍手喝采が湧き上がった。言うなれば、党内の「老左〔老齢の左派〕」は執政党の伝統的なイデオロギーを基準に「重慶モデル」を認め、学会の「新左派」は西洋左翼の思想資源を武器に「重慶モデル」の合法性を確認し、ポピュリズムの「毛左」は文革の遺物たる「神格化政治」を以て「重慶モデル」を全面的に神格化し、その指導者や実行者を毛沢東のような英雄とみなし、重慶で進められた各種の政策を毛沢東流の社会主義事業を復興させる重大な施策だと持ち上げた。その目には、重慶では紅旗が翻り、革命歌が唱和され、政治は順調で人の和があり、すべてが一新された社会主義のすばらしい光景のように映ったが、疑いもなくそれは毛沢東が創建した理想世界の再現であった。張宏良は感激して「これは歴史的転換であり、中国人民が毛沢東思想を再び国家のイデオロギーに変えるという歴史の潮流は阻止できない」と捉えた。司馬南も「重慶的やり方は社会主義の道統を回復した。社会主義の重慶化と社会主義の道統の回復の組み合わせはデフォルト値〔初期値〕の回復をもたらし、我々のデフォルト値とは社会主義なのである」と考えた。司馬南から見れば、社会主義の道統は文革後の改革開放で中断させられ、現在では重慶で回復し、また北朝鮮で続けられているだけということになる。

「毛左」の理論的倉庫に新しいものは何もない。新左派のような西洋の左翼から輸入した学術的に深遠なものもない。彼らはただ「毛沢東思想」に満足し、毛が文革期に提出した「プロレタリア独裁下の継続革命論」を推奨するだけであり、自分たちの文革に関する立場が造反派の伝統にあることをさらけ出している。張宏良は重慶事件の後に公然と「文革が大きなこん棒である所以は、その一振りで重慶の改良運動を死に至らしめたところにある。第一に文革は官僚集団に共通する階級意識を喚起した。第二に文革の悪魔化を官界のお役人は極力避けたい。第三にもっとも重要なこととして文革後の造反派への鎮圧は人類史上で最大規模の政治的粛清・鎮圧であり、それはきわめて大きな政治的脅迫として作用した」と宣明した。さらに文革のロジックと思考から「毛左」のサイト「烏有之郷」では何と「四人組」の失脚は「ハードな政変」であり、鄧小平の南巡講話は「ソフトな政変」であると表明された。それに合わせて孔慶東も同様の「政変」説を提出し、SNSのビデオ番組で中央による薄熙来の免職は「反革命政変」であると公言した。かくも大胆不敵で、魔に魅いられて火に飛び込むような恐いもの知らずになれるのは、いかなる法術によるのだろうか。どのような神懸かりに頼っているのであろうか。

明らかに「毛左」は毛沢東に頼り、「神格化政治」という治国手段を使っている。公然と「毛左共産党員」と自称し、執政党の改革開放路線を全面的に攻撃し、鄧小平理論や江沢民の「三つの代表」思想を非難し、改革開放により得た巨大な成果を徹底的に否定し、北朝鮮の社会主義と金一族の世襲政権を心の底から賛美し、文革の再来を要求し、プロレタリア独裁下の継続革命を実行しようとしている。「毛派」のこのような政治的主張は、社会の主流の民意と敵対するだけでなく、執政党が一九八一年に〔十一期六中全会で〕通過させた「建国以来の党の若干の歴史問題に関する決議」〔日本語訳は『世界週報』一九八一年七月二十一日号、二十八日号、八月四日号に掲載〕と根本的に違背している。この決議は明確に「指導者〔毛沢東〕が誤って発動し、反革命集団〔林彪や四人組〕に利用され、党、国家、各民族人民に重大な災難となった内乱をもたらした」と規定した。この決議は「毛沢東同志は社会主義社会の階級闘争の理論と実践においてますます誤りを重大にし、彼の個人による専断という作風は党の民主集中制に損害を与え、個人崇拝の現象が拡大し、党中央はこの誤りを是正することができなかった。林彪、江青、康生たち野心家はむしろこの誤りを利用し、助長した。このようにして「文化大革命」に至ったのである」という認識を示していた。鄧小平は毛沢東の誤りを反省して「ただ毛沢東同志本人のまちがいだけを言うのであれば問題は解決できない。最も重要なのは制度の問題である」、「我が党の政治生活、国家の政治生活がいくぶん不正常になり、家父長制、或いは家父長的作風が広がり、個人を褒め称えることが多くなり、政治生活が全般的に不健康になり、最後は文化大革命が引き起こされた」と語った（イタリアのジャーナリストのオリアナ・ファラチのインタビューでの回答）〔「鄧小平のインタビュー」『世界政治——論評と資料』一九八一年一月上旬号、三六頁、参照。これによればインタビューは一九八〇年八月二十一と二十三日の両日、四時間近くなされ、『中国工人日報』同年十月二十九日、十一月十日号で発表された〕。執政党の決議と鄧小平の講話は執政党の改革開放路線の基礎であり、執政党の「新時期」〔文革終息後に「新時期文学」が現れ、改革開放路線において注目された〕に再構築した合法性の基礎でもある。しかし、これらは「毛左」勢力の蔓延を有効に制止できず、彼らはこの十年に文革復活のさまざまな言説を何らはばかることなく発表し、公然と文革路線を以て改革開放路線に挑戦し、極左理論を以て執政党の現行の指導思想に挑戦し、毛沢東の社会主義で中国の特色ある社会主義に挑戦した。このように奇怪な現象が長期に存在するのは、執政党が徹底的に毛沢東の誤りを清算できないことに関係がある。一九八一年の「非毛化」は不徹底で、毛沢東思想が残存する余地が大きい。執政党のイデオロギー的な法統において、この十年に、党内左派と民間「毛左」勢力の曖昧な関係が続き、互いに秋波を送り合い、互いに利用し合い、互いに歩調を合わせてきており〔原文は「互為犄角」で、『左伝・襄公十四年』の「譬如捕鹿、晋人角之、諸戎掎之」より。互いに示し合わせて敵を挟撃することを意味する〕、条件が成熟すれば、必ずや示し合わせて悪事を働くのである。

「重慶モデル」は鳴りもの入りで登場した。「毛左」にとって、それは千載一遇のチャンスであったと言える。もともと彼らには「烏有之郷」を代表とするサイトがいくつかあるだけで、社会の主流においては一貫して評判が悪かった。まともな人たちは一顧だにしなかった。制度の整備や経済的資源が欠如しているため影響を広げることができなかった。だが「重慶モデル」が登場し、彼らに希望が見えた。制度を整備するチャンスが到来したと思い、まず新左派の学者たちが重慶に向かい、役人になったり、講義で広めたりした。続いて「毛左」の出番となり、張宏良たちは省レベルの官僚になるのを夢見ているとネットではうわさされた。制度が整備されれば、経済的資源の問題はなくなる。そして金をつかめれば、発言力が増す。付和雷同で人が多く集まり、影響力も自然に強まる。「毛左」はこの時とばかり全力で総動員をかけ、「重慶モデル」ブームの宣伝を展開した。一時、「烏有之郷」のトップ・ページには重慶の人物やことがらであふれていた。重慶の一連の施策が熱っぽく称賛され、全面的に神格化された。重慶の民生政策は経済を大きく転換させて人民を困境から救い出し、「革命歌」により人民を毛沢東時代に呼び戻し、「マフィア打倒」はプロレタリア独裁の強化に必要であるとした。そして「毛左」は重慶モデルの神格化の核心に個人崇拝と個人迷信の大旗を高く掲げた。毛沢東を誉め讃えたように重慶市党委員会書記〔薄熙来〕を賛美し、毛沢東流の社会主義事業を復興させる固い意志を持つ指導者であると見せた。「重慶の護衛者」と称された王立軍公安局長も暴虐を取り除き善良な民を守る無敵の英雄のようにこの上なく高い評価を与えられた。「毛左」はまさにこの二人の権力者と暴力者こそと考えており、それは毛沢東派の共産党員が権力の交替を完全に成し遂げるための最有力の保証であった。彼らはレーニン同志の「現実の運動の一歩一歩は一ダースの綱領よりも重要である」という格言を深く信じていた〔マルクスは一八七五年五月五日付「ヴィルヘルム・ブラッケへの手紙」で「現実の運動の一歩一歩は一ダースの綱領よりも重要です」と述べた（『マルクス＝エンゲルス全集第一九巻　一八七五―一八八三』大月書店、一九七八年、一三頁）。そしてレーニンは一九〇一年秋から翌年二月にかけて執筆し三月に単行本として公刊された「なにをなすべきか――我々の運動の焦眉の諸問題」において「「ラボーチェエ・デーロ」が「現実の運動の一歩一歩は一ダースの綱領よりも重要である」というマルクスの金言を勝ち誇ったようにもちだしているのが、どんなに分別のなさをばくろするものであるかが、わかる」と述べた（『レーニン全集』第五巻、大月書店、一九八〇年、三八八頁）。そしてレーニンは、この「金言」は自分自身にこそふさわしいと論じているのである。なお「金言」の「です」と「である」は訳文のままであり、文脈から意味は同じであると言える〕。

「毛左」による重慶モデル神格化の言動の影響は、実際、民間のポピュリズムや「烏有之郷」の範囲に限らず、執政党の内部、学界、社会の隅々に及び、彼への阿諛追従や形を変えた「推薦」という声が高まった。スターリン、毛沢東、金一族が最高に喜ぶ「太陽」のような言葉を熱烈に賛美することはないが、学術的用語やイデオロギー的言説の下にそれは内蔵されており、注意すればはっきりと分かる。鄧小平の改革開放政策から直接恩恵を受けた高級官僚、専門家、学者が重慶の経験や関連する人物を声高く称揚するとき、執政党の最低限の政治的倫理や学者の学術道徳は徹底的にかなぐり捨てられ、さらに社会の基本となる正義や人間としてのベースラインも徹底的に廃棄された。彼らの立ち位置や荘厳な言説は「烏有之郷」をバージョンアップしただけにすぎない。

文革に死刑を執行した論理が三十年後に〔霞み〕、改革開放の事業が人心に深く浸透してから三十年を経て、何故、文革の言説が死から甦ったのか。何故、毛沢東の極左思想が招魂されたのか。何故、大衆を惑わす政治的迷信の神学が絶えることなく復活したのか。我々は一人ひとりがこの問題について考えねばならない。そのために、筆者は三つの見方を提出する。

1　個人崇拝と個人迷信は実質的な個人独裁であり、大権の独占であり、家父長制であり、権力崇拝である。毛沢東の権力は無限であり、何ら拘束されず、やりたい放題であった。彼自身が「和尚打傘、無法無天」〔和尚には「髪」がなく、「髪」と「法」は音が同じで、傘をさせば天を遮るので、天がないという意味。エドガー・スノーに語ったことで知られているが、通訳が「雨中に破れ傘をさす和尚」のように誤訳したので毛沢東の孤高・崇高のイメージをつくりあげた〕と言った。まさに限界のない権力を握ったことで、彼への個人崇拝・迷信は空前絶後となり、人々はただ服従し盲従するしかなく、そうしなければ身は破滅し、名誉を失った。重慶における最高執政者は、その勢力範囲において無上の権力を掌握し、党委員会の他の幹部はただ彼を飾りたて、引き立てるだけであった。彼の指令は無条件で執行され、彼の人事的配置はいかなる党内の手続きも必要なかった。彼の言動の一つひとつが「重慶モデル」を進める根拠となった。学者たちはこのような個人独裁と個人独断の現象を「政治的な強者」と称え、共感・理解して、そのように中国社会の趨勢が転換するように希望したが、これは現在からみれば一方的な片思いであった。彼は毛沢東のような政治的権威の獲得を渇望して、意図的にポピュリズムに訴え、「毛左」勢力の神格化運動を鼓舞・追認し、過激な国家主義的政策を推し進め、これらの方法で政権の高位に就くような態勢を作り出そうとした。最終的に「重慶モデル」は破産したが、その根本的原因は薄熙来の無制限で恐れを知らぬ独断専行であった。制度や法律の制約を受けない権力の行為は、最後は必ず権力の腐敗と制御不能に至るものである。

2

政治迷信と権力崇拝は必ず愚民政策と軌を一にしている。民意を欺き、庶民を愚弄することを主要な手段として、真相が分からない群衆を社会の基礎とする。「すべての国民は、それに相応しい政府を持つ（Every nation gets the government it deserves）」〔原文ではエイブラハム・リンカーンとなっているが、十八〜十九世紀のフランスの保守思想家・外交官のジョゼフ・ド・メーストルのものである〕という文言がしばしば引用されるが、人民の奴隷性や愚昧は個人独裁が存在する前提条件である。毛沢東時代において、愚民政策は主にイデオロギーの注入、思想教育、世界観の改造などを通してなされた。洗脳により人民は貧困に安んじ、現状に満足し、現行の統治を認めた。それはまさに現在の朝鮮において現れていることであった。だが重慶の「新政」では伝統的な愚民の手段はすでに失効していたため、主に経済政策の調整により、地方政府の巨額の投資とプロジェクトで「共富」〔薄熙来は格差をなくす共産主義的な平等主義として「紅いＧＤＰ」を提唱した〕の民生経済を発展させ、重慶の立ち遅れたあり様を急速に変貌させ、民意から賛辞を獲得した。同時に「革命歌」の唱和で人心を凝集させて従わせ、思想を画一化し、重慶の統治を認めさせた。「革命歌」唱和が最高潮に達したときは、監獄や精神病院でも「我々は共産主義の後継者」〔文革期の流行歌〕と声高らかに歌わせていた。このうわさは実証できず、逆説的な諷刺かも知れない。しかし、重慶の衛星テレビ放送から流れてきた壮大な「革命歌」唱和のシーンを考えれば、その諷刺の意義は気の狂った者の不正常な行動に劣ることはない。最後に重慶の衛星テレビ放送はコマーシャルを消して、「紅い」衛星放送となり、毎日、重慶の庶民を革命の理想にふけらせることに力を入れた。これは衆知の啓蒙ではなく、新たな愚民化の行為である。このような重慶の民生経済が巨大な債務を抱えて崩壊するときになってようやく、迷妄な民生経済の一時的な効果を信じた人々は徹底的に目を覚ますことであろう。

3

個人が高度に公権力を壟断し、いかなる制約もなく欲しいままにするということは、断じて個人の行為ではなく制度的現象である。正しく鄧小平がすでに「良い制度を定めたり、確立しなかった」と述べて「ただ毛沢東同志本人のまちがいだけを言うのであれば問題は解決できない。最も重要なのは制度の問題である」、「我が党の政治生活、国家の政治生活がいくぶん不正常になり、家父長制、或いは家父長的作風が広がり、個人を褒め称えることが多くなり、政治生活が全般的に不健康になり、最後は文化大革命が引き起こされた」と指摘した通りである。これは執政党の領袖が今までできる範囲で行ったもっとも深い自己反省であり、かつての皇帝の「罪己詔」〔古代中国で君主が自らの過ちを反省し、政策を改めるために発布した詔書の一種〕に相当する。今回の「重慶モデル」と関連する人物の経験を教訓とするための総括としては、制度の弊害を審査し、権力の腐敗と制御不能の制度的な原因を分析することが必須である。「重慶モデル」が始動して以来、日増しにいくつもの問題が暴露された。特に「マフィア打倒」においては幾多の公権力による重大な違法事件が起きた。各界の良識者はさまざまな方法により批判、質疑、忠告、提言を出し、非合法で異常な権力行使が危機の一歩前で中止されることを期待したが、しかし、すべての善意ある言動は無駄であった。逆に党内の高官は次々に重慶を支持する立場をとった。政法部門の指導者は公然と重慶での「マフィア打倒」について「打倒はすばらしい、打倒は正しい、打倒は力強い、打倒は合法だ」と称揚した。司法を主管する部門は重慶に向かう当事者の弁護士に「この時こそ政治を重んじ、大局を重んじ、党の規律を重んじ、そして法律は重視しないこと」と警告された。主要な新聞は重慶の経験を宣伝し、多くの紙面を使って大いに弁舌をふるい、長々と述べ立て、それによって民衆を混乱や誤解に導いた。一地方の高官により国家機関全体が脅威を受ける、あるいは体制の有する資源全体が一個人のちょうちん持ちになるという現象は、制度の改革が不可避であることを明らかにしている。制度が自ら誤りを正し、修正する能力を喪失するとき、「重慶事件」のような人物や出来事は絶えず出現し、最終的に執政党の政治的信頼も合法性も消耗してしまうだろう。

筆者には農村改革の始動の時期から政策制定の核心にいて政治的経験が豊かな友人がいる。その友人は筆者の「重慶を振り返る」四篇を読み終えると、「反常即妖（異常はすなわち妖魔である）」の四文字を書いて表した。この一句はまさに要点を突いている。常理、常識、常態こそ人類社会を正常な軌道に乗せる常規であり、異常な者、特に高位にあって大権を握り、社会の法則に背き、人間性に背き、世俗に背く異常な者は、自分自身、あるいは大衆に各種の神聖な光を放つように作っても、遅かれ早かれ現実に打ち砕かれ、粉々になって正体をさらけ出す。神聖化とは、実は悪魔化（妖魔化）のことなのである。

Ⅱ

時務評論

第五章　中国の国家主義はこの先どこまで進むことができるか

二〇一〇年、中国の国内総生産（GDP）は日本を上回り、世界第二の経済大国となった。このニュースに人々は興奮すると同時に茫然とした。貧困の記憶を完全に拭い去っていないのに、突然世界の二番手となったからだ。またたく間に状況は大きく変化した。国の外貨の多さはまるで使い切れないかのようで、指導者が海外を訪問する時は、大量の注文書を手土産にし、これまで大国風を吹かせていた富裕国も、中国から金を借りようと列に並ぶようになった。威勢のいい話は次々と登場し、「中国が世界を統治する」「中国が震撼させる」「中国は不機嫌だ」などといった文言がベストセラーの表紙に登場するようになった。学界の一部にも、鶏の血を注射した〔興奮状態になる〕かのように、「中国モデル」や「中国の経験」についての報告を鞄一杯に入れ、それまでは「中国は何を間違えたのか」反省しきりだったのが、今や「中国のやり方の何が正しかったのか」に変わった。言葉の転換は言葉の再構築を意味する。西側のやり方はもうだめだ、他人どころか自分すら管理できないのに、一体誰が彼らの話を聞くだろう。そこで全面的に反省し、中国自らの言葉の体系を構築し、中国特有の制度のあり方の合理性を新たに認識しなければならないということになった。

この民族挙げての狂騒のなかで、二人の厳粛な学者の声がもっとも注目に値する。一人は〔香港出身の経済学者〕張五常〔スティーヴン・チュン〕教授で、彼は「中国のやり方の何が正しかったのか」という問題を提起し、のちに〔中国の経済学者〕周其仁教授の同名の著作が出た。ロナルド・コース氏〔ノーベル経済学賞受賞者〕の依頼を受け、張五常氏が中国改革三十年の経験をまとめた『中国の経済制度』は、後世に残ると自らも認める著作となった。この八万字の研究報告で、張氏は中国の高度経済成長の原因とは、彼が八〇年代に強調した資本主義市場システムの他に、近年発見した中国の県際〔県同士の〕競争の比較優位だと考えている。この発見は従来の制度派経済学の教科書にはない事例であり、中国の発展の経験はこの欠落を補った。張氏によると、制度派経済学で強調する制度の配置とは、おもに資源の配分と交易の市場化メカニズムを指しており、国家の力は外部の要素としてのみ考えられている。一方中国の国家の要素は、中央政府のマクロ調整の形式にせよ、あるいは地方の県際競争の形式にせよ、中国経済の内在的プロセスのなかに深く埋め込まれている。つまり、経済の市場化の運行を妨害し外部化が必要だとみなされた国家の要素は、中国では高度成長の主要な動力源なのである。中国の発展の経験は、制度派経済学への補完となるだろうか、それとも挑戦になるだろうか。張氏は答えを出していない。彼が出した答えとは、中国の経済制度は人類史上最良の経済制度だというものだった。

　経済学者はもっとも理性的な精神と中立的な価値観を持つ模範と考えられている。張教授の上記の言論は中国を長期間、独立して観察をした結果であるはずだ。彼の研究がコース教授から高い評価を受けたのは、老経済学者の「中国への情感」から説明されるものではない。過去三十年、多くの著名な経済学者が中国を考察し、まさに時流に乗ろうとする輩《やから》のように絶えることがなかったが、一体そのなかの誰が中国問題の答を得たのだろうか。コース氏だけが、二十数年前にスティーヴン・チュンに香港に来るよう勧め、中国を間近から観察し、制度派経済学の解釈の境界を中国改革開放の最前線へと広げた。これは深謀遠慮と言えるだろう。中国、世界最大の人口を有し、帝国体制の下で二千年の歴史を持ち、多くの戦乱を経験し、鉄のカーテンと冷戦体制により長期間世界と隔絶された超大国が、三十年前に世界にその扉を開いたとき、その奥義を誰がはっきりと見通すことができただろうか。東欧の体制転換の経済学から、西側の各種の経済理論まで、多くの処方箋が出たが、結局どの薬がもっとも効果があったのか、いまだに分からない。そのなかには多くの予言もあり、例えば「中国はまもなく崩壊する」「歴史の終わり」など、大げさな話がのちに物笑いの種になったのは、取り立てて言うほどのこともない。中国の台頭、中国の奇跡、中国モデルは、まず事実の状態として経済学者の視野に入ったが、三十年の時間を経て経済成長がこれほど増加したことを、世界のいかなる理論も有効に説明できないのに、張五常氏の研究の結論を軽率だと批判すべきではない。中国の制度のあり方とその業績をいかに認識し評価するかは、確かに大きな問題だ。

張五常氏ののちに、筆者が注目する二人目は、同様に高度の理性を持つ中国の著名な哲学者、李沢厚氏だ。現在多くの若者が李沢楷〔リチャード・リー、香港の実業家〕は知っていても李沢厚は知らないと言われるが、このことはこの哲学者の悲哀ではない。中国の一九八〇年代の哲学の象徴として、李沢厚は一つの世代の哲学への関心を引き起こした。八九年〔天安門事件〕の後、彼は長期間海外に滞在し、遠くから中国を観察し、現体制に対し精神的な非協力と言葉の上での無抵抗の立場を取り、独立した身分で、曲学阿世〔政権におもねり、学説を曲げる〕の必要はなかった。いわゆる中国モデルに対し、李沢厚はそれに同意せず、新左派の各種の主張に対しても批判的な態度を取った。この懐疑的姿勢は彼固有の理性や冷静さを体現し、温かい理解に満ちていた。長年このように沈着だった思想家が、突然昨年高らかに声を上げ、インタビュー集を通じ「中国の哲学が出場すべきだ」との話題により、従来とは異なる言論の風格をあらわにした。筆者がこのことに関心を持つのは、なぜこの時期、つまり人々が中国の台頭について論じているとき、中国哲学が登場すべきなのかということだ。

哲学者は社会の変遷を観察するのに、経済学者とは異なる視点を持っている。哲学者は資源の合理的な配分など制度のあり方に過度に注目する必要はなく、思想や言葉などにより関心を持っている。清末の康有為、梁啓超以降、中国の制度の後れと経済衰退の思想界における直接的結果は、儒学を核心とする言葉の体系が西側の言葉へ取って代わられたことで、自由主義やマルクス主義が次々と登場したが、語られるのは自由民主、革命暴力といった西側で話された言葉であり、社会はこれらの言葉が支配するなかで変革や発展の道を選んだ。この種の状況は、中国の深い思想を持つ人にとって、もっとも苦痛に感じただろう。自分が何を言うべきか、いつ言うべきか分からず、また言っても誰が聞いてくれるか分からないからだ。李沢厚氏は八〇年代にその発言が影響力を持った人であり、彼の儒学への現代的な解釈、「西体中用」の観点、啓蒙や革命の二重変奏への論述は今でも深みを持っている。ただはっきり言えば、この二十年間、世論やメディアが新たなオピニオンリーダーにより占領されたとき、李沢厚はほとんど無言のままだったが、おそらくそれはこの浮ついた時代に発言することに価値を見出さなかったのだろう。思考の力と現実への関心を持つ思想家として、桃源郷のなかの人〔現状に満足する人〕になることに甘んじなかったのだろう。彼は「中国哲学が登場すべきだ」と叫んだが、その口調は大きなものではなく、そのなかには出版社の営業戦略もあっただろう。つまり社会は彼の声を再び聞くべきで、西側の言論が支配的ななかで中国自らの言論の体系を再構築すべきということだ。問題は、五年前、彼はそのように言えただろうか、ということだ。至るところで「中国は世界を統治する」「中国が震撼させる」といった言論にあふれているときに、李沢厚の発言は実はこのような言論と同様、「中国の台頭」という現実に基づいているのである。物質の膨張は言葉の膨張をもたらし、長年沈黙していた思想家に発言のチャンスを与えたのかもしれない。まさに張五常氏が、中国経済が世界で最良の経済制度だと言うとき、この制度の「業績」ゆえに人々は刮目するのでは、というのと同様である。

この二人の尊敬する理論家の先輩を前に、筆者は彼らの言説のなかや背後に、問題の注目点を探し出そうとしている。筆者からみて、張五常氏が提起したのは、中国の経済制度の合理性と業績をどう評価するかという問題であり、李沢厚氏は中国の言葉が再建するかどうかの現実的可能性の問題であり、その実質は依然、中国の言葉が登場した背後にある制度評価の問題を回避することはできないのだ。張五常氏が「中国のやり方の何が正しかったのか」と語ったとき、中国の学界の多くの人々は、これまで制度上の欠陥とされたことが中国の「比較優位」となったと突然悟ったのだ。中国経済の「比較優位」の下で驚くべき成果を上げたのは争いのない事実だ。この事実こそが、この制度の正当性や合法性に疑念や批判を持っていた李沢厚のような人にその言葉が復活する基礎を与えたのだ。ＧＤＰは経済学者の切り札となると同時に、哲学者の言葉の自信にもなったのだ。

中国経済の急速な発展に便乗しながら、この高速で疾走する「中国号」にどのような評価をすべきか。その巨大な動力はどこから来るのか。

中国の再起や復興への探求は、清末新政〔清国末期の一九〇一年以降、西太后が主導して進めた政治改革で、光緒新政ともいう〕以降の知識人や民衆の共通の願望や要求であり、革命にしろ、改革にしろ、その目的は一致しており、制度変革により生産力を解放することだった。だが制度変革の方式には多くの道筋があり、どの道筋が中国の発展に適しているのかが、清末の帝国解体以後、政治家を悩ませる問題だった。中国の近代化の道はさまざまな試行錯誤を経て、あるときは明るい大通りに出たと思えば、最後には行き止まりに入ったと気づくこともあった。三十数年前、国民経済が崩壊に瀕していたとき、中国は近代化の入り口を探し当てた。執政党や学者はともに反省し、歴史的な経験や制度の比較を通じて、計画経済の体制では国家権力が過度に大きく、過度に集中し、高度に独占し、それが中国経済の長期低迷の原因だと認識した。改革は国家全能主義体制を改革し、社会の自主的な発展モデルを徐々に確立したが、その核心は市場メカニズムとそれに適応する財産権の制度と価格システムであり、市場メカニズムを通じて資源の合理的な配分と経済成長の問題を解決することだった。国家の経済領域における伝統的な役割、例えば国家所有制、資源の計画配分、価格管理などはいずれも改革の対象となった。改革の基調は放権譲利〔権限を下部に移譲しその利益を増やすこと〕であり、国家は退出すべき領域から徐々に退出することだった。この過程の実質は社会の「脱国家化」であり、筆者はこれを以前書いた文章で「国家と社会の二元化」と呼び、国家は本来社会に属する各種の権力、まずは経済の権力を社会に再び返すことだと論じた。これは当時の共通認識であり、張五常氏も八一年に書いた重要な論文「中国は資本主義への道に向かうのか」で、実際には全篇で同じ道理を論じていた。つまり市場メカニズムを確立し、国家は経済分野から退出する必要があるということだ。

八〇年代初期の「脱国家化」の経済改革、八八年の「価格改革」の失敗後、中国は困難な状態に陥った。政治的動乱が出現し、社会は改革の方向を失い、学界は改革の停滞を憂慮し、政治改革を求める声が高まった。このような形勢の下、共産党高層では改革の道筋をめぐる認識の分裂が拡大し、改革がコントロールを失うとの懸念が執政党の主要な憂慮となった。新権威主義の登場は、この時期のきわめて切迫した現実の需要に適合していた。その考え方は、国家は執政党の利益、抱負、栄誉、歴史的地位を凝集した主要な制度の担い手として、社会発展と改革のプロセスを主導する必要があるというものだ。新権威主義は新たな歴史的条件の下、国家の主導的な役割の合法性に、新たな学術的支持を提供した。それは特定の時期に権威主義の人格と制度により社会の安定と秩序を守り、同時に市場化のプロセスを進め、国家が最後には民主化するという未来図を約束すると主張した。つまり、新権威主義は一種の過渡的な制度のあり方として設計されたもので、憲政市場体制の前段階だった。

新権威主義は「八九年後」〔天安門事件後〕、国家のイデオロギーや改革の綱領にはならず、この理論に賛同あるいは反対する人のいずれも、言説の改革の主要なルートからは外れ、周辺化の状態にあった。だが、認める必要があるのは、新権威主義は確かに中国の改革の前半十年の終結を表していたことであり、その後経済と政治分野での「脱国家化」の改革は重大な修正を迫られ、国家は改革を主導する主体でありその対象でもあるという曖昧な状態を抜け出し、大規模に社会の領域に復帰し、その制度の「原罪」はその制度の「比較優位」へと転化した。経済総量が増加を続けたことで、国家は日増しに巨人となり、莫大な権力と経済の実体となり、多くの役割を兼ね、すなわち、社会秩序を維持する暴力機関であると同時に、究極の所有者、投資家、マクロ調整者となった。かつては懐中無一文で、意欲はあっても実力が伴わなかったのが、現在は豊富な資源を有し、力を集中して大事を行うことが可能になった。国家の主導と市場メカニズムの二つのエンジンにより、わずか二十年の間に経済は高度成長を続け、高速鉄道、航空母艦、有人ロケット、オリンピック、巨額の外貨準備など、多くの奇跡を生んだ。これらの制度の「業績」により、張五常氏は中国経済は世界でもっとも良い制度だと考える理由があり、「中国モデル」論者は現行制度のあり方は中国の永久的制度のあり方になるべきだと考える理由がある。

　認めるべきは、張五常氏が発見した中国の「県際競争」の優位性であり、確かに地方政府が追い越し追い越される競争のなかで中国経済に巨大な動力を形成した。全世界のいかなる地方政府も、中国の県レベルの都市のように、経済発展にこれほどの情熱とこれほど多くの発展手段を持っている所はない。中国地方経済の発展は、最初は珠江デルタから始まり、長江デルタへ、最後には中西部の広大な内陸へと広がった。段階的な発展から共同発展まで、国家の主導は各地方の止むことのない経済への強い衝動をもたらした。中国を大きな企業に例えるなら、中央は本社であり、省や市は支社、県は子会社に当たる。中央の積極性は千万もの地方の積極性へと転化し、生み出されたエネルギーは驚くべきものとなった。張五常氏の把握する制度派経済学の知識は、いかにこの現象を説明するだろうか。国家の主導的地位の合法性を再び確立し、この国家という「神」を再び呼び戻したというほかに、より合理的な説明はないだろう。だが、中国の経済制度の優位性は張氏がいう「県際競争」にとどまらない。秦暉〔経済学者、元清華大学教授〕はしばしば、中国の「低人権」「マイナスの福祉」の制度が、中国経済が西側の憲政体制では困難な発展に有利な条件をもたらし、制度的なコストを大きく引き下げたと批判している。例えば、国家は低価格で大規模な農地を収用し、各地で荒れ狂ったように立ち退きを強行し、資源の略奪的な開発を放任し、環境保護には十分な投資や規制をしなかった。そして財産権保護の体制は脆弱で、独立した司法制度がないことも、中国独特の制度的現象であり、西側の憲政市場体制ではまったく不可能なことが繰り返された。中国のまったく制約のない発展と、大衆の参加を欠いた「制度的優越」は、良好な経済制度の根拠と言えるだろうか。これほど大規模な人権コストは、中国の発展のために必要な対価だとしておろそかにしてよいのだろうか。中国がこの種の制度の下で得た発展の成果を本当に我々や後の世代は心安らかに受け入れることができるだろうか。

　それゆえ、中国の制度のあり方やその業績をいかに認識し評価するか、必然的に巨大な相違が生じる。蕭功秦の新保守主義、新左派や何新の新国家主義、朱嘉明、許小年らの国家（官僚）資本主義、呉敬璉の権貴資本主義、そして広く知られるようになった権威主義などの説明は、その相違の現れである。国家の代わることができない主導的役割を強調する（新左派、何新）、あるいは権威制度の過渡的な制度としての意義を論証する（蕭功秦）、あるいは資本の要素と国家の要素が結びついた後に発生した権力と資本の二重変異である権貴資本を批判する（朱嘉明、許小年、呉敬璉）などである。このような異なる定義が反映するのは異なる理論の傾向であり、国家に対する異なる態度を表している。新国家主義者は国家の全面的復帰を歓迎し、自由主義者は自由市場の対面に強大な国家が出現することを絶対に容認できない。またいわゆる新保守主義者は双方の対立の間で過渡的な段階を作ろうとする。つまり、中国の現行制度への認識と未来の改革路線の選択は、三つの基本的選択に概括できる。絶対国家主義（新左派、何新）、有限国家主義（蕭功秦）、脱国家主義（朱嘉明、許小年、呉敬璉）である。

　現実の制度のあり方について言えば、中国の経済制度は、有限国家主義の特徴を有している。国家の効力と市場の効力が有効に結合し、市場の車輪と政府の車輪がともに回り、共同で経済の急速な発展を推進している。中国の三十年来の経済状況、特に最近二十年の経済状況は、有限国家主義の制度のあり方――国家が主導する社会（市場）発展モデル――が確かに過去の絶対国家主義が長期間できなかった経済成長の問題を解決し、脱国家主義体制では得ることができない経済成長の効率を得たことを証明した。まさに発展効率の評価から言えば、あるいは、発展に伴う人権のコスト、環境のコスト、各種の資源コストを完全に取り除けば、張五常氏の言う中国経済は世界最良の経済制度であると言える。だが、現実に存在する各種の制度上のコストを捨て去って、このような理論は何の意味があるだろうか。制度の業績の評価は、二つの帳簿〔計算方法〕に基づくものだ。一つは現在の最大目標であり、もう一つはより長期的な目標だ。前者で言えば、中国は百年もの間、経済の停滞や衰退に苦しんできたが、三十年間の努力で先頭に追いついたのだから、各種の代価は受け入れることが可能で、この帳簿は計算が合うというものだ。基本的にこの目標を達成後、今後の課題は、このような制度が影響力のある制度となりうるのか、この制度の優位性は今後も有効なのか、かつてはおろそかにしていた制度上のコストは今後の発展のなかで引き続き受忍することができるのか、つまるところ、国家主義は今後どこまで進むことができるのかということだ。これらの問題に答えるためには、より深いレベルでの理論的な思考が必要だ。

中国社会の発展とその近代的転換の方式は、筆者が長年考えてきたテーマだ。「天安門事件（八九風波）」の後、筆者は学界を追い出されたが、このテーマへの思考は止まったことがない。二〇〇八年以降、筆者はこれまで三本の長文を発表した。「中国封建主義の問題を論じる——中国前近代社会の性質や発展への新たな認識と評価」（『文史哲』二〇〇八年第四期）、「歴史観と歴史的価値観を論じる——中国史学の前提問題への再認識」（『中国社会科学』二〇一〇年第一期）、「中国史観と中国近代性問題——中国社会発展とその近代的転換への思想の道筋」（『中国社会学輯刊』二〇一〇年冬季号）であり、この三本の文章は歴史と理論、現実の結合を試み、中国の帝国期の制度の性質や、帝国後の制度転換、中国自らの歴史記述と近代性の記述の構築など、重大な理論の問題を研究したものだ。文章はそれゆえ中国の帝国期の制度のあり方の歴史的合理性、正当性、有効性について客観的に評価し、蕭功秦氏からは国家主義者のレッテルを貼られた。率直に言うと、これらの文章を書いたとき、筆者はそれまで一貫していた価値や理性への問いに直面していた。つまり、帝国、中央集権体制、スターリンモデル、毛沢東主義、計画経済などが、一つの政治的系譜に置かれているなかで、歴史上の帝国を好意的に語るのは、現実の国家主義制度の弁護になるのではないかということだ。一方で、筆者は張五常氏同様、自ら中国の三十年にわたる改革のプロセスを経験し、中国経済の高度成長が現有の制度の下で実現したことを無視できない。あるいは李沢厚氏と同様、現有制度のあり方に批判的な感情を持っているが、中国の台頭が中国の言葉の再建や復興に得難い機会を作り出したことを無視できない。事実の判断と価値判断の間に二律背反が生じるとき、いずれか一方を選ぶのは理由がある。この時、歴史の経験や未来の責任に基づくことで、現実の困難や困惑から抜け出すことができるのだろう。そこで、参考のために、前述の研究の基本的な見方を概述したい。

1　社会転換の歴史観から中国の現在の社会変革を認識すべきである

社会の転換は学界で広く使われる概念だが、今まで中国の歴史のプロセスのなかから社会の転換を観察し研究する理論や方法を概括した人は少ない。中国の確かで根拠のある歴史のなかで、これまで二度、歴史を区切る意義のある社会の転換が起きた。最初は商周の時代で、王国維〔清末民初の学者〕は「殷周制度論」で「中国政治と文化の変革は殷周の時ほど大きなものはない」として、その実質は「旧制度の衰退と新制度の勃興、旧文化の衰退と新文化の勃興だ」と述べた。新制度の核心は、封建制度の確立であり、「親親〔宗統：血縁により結ばれた一族の世襲制度〕」と「尊尊〔君統、皇帝の世襲制度〕」の統一であり、それにより政治の統合と帝位の継承、等級の授権や階層別統治などの制度的問題を解決した。西周晩期、封建制度は動揺を開始したが、顧炎武〔清代初期の思想家〕の説明によると、『春秋』の終篇から「六国が王を称する」百三十余年の間〔いわゆる「戦国時代」〕、礼と信は廃れ、封建は滅びた。王夫之〔明末清初の思想家〕は春秋戦国時代を「古今一大変革の時期」とみなした。秦の始皇帝が中国を統一し、封建制度が正式に終結し、ここから中国歴史上の第二の社会の転換が起き、中央集権帝国時代が始まった。帝国制度は秦、漢代に基礎が築かれ、隋唐の時代を経て、宋代に盛観を呈した。その歴史は三つの時期に分かれる。秦漢が第一帝国、隋唐が第二帝国、宋明清が第三帝国である。清末新政以来、中国の帝国体制〔帝国統治と朝貢体制〕は西洋の軍事、制度と観念の巨大な圧力の下で解体に向かい、梁啓超は李鴻章の言葉を借りて、これは三千年来未曾有の事態だと述べた。その実質は中国の第三次の社会転換であり、目標は近代的な憲政民主国家を建設することだった。ある人は三十年〔一九七九年以降〕、六十年〔一九四九年以降〕、九十年〔一八四〇年以降〕の歴史的時間によって中国の改革の意義を計ることを主張し、筆者もそれは理屈にあっていると考える。歴史を区切る意義のある社会変化は、その発生から完成まで、二百～三百年を有すると言うべきだ。グローバル化の時代、制度資源を共有し、学習、模倣し再生することで、この時間を短縮できる。

２　中央集権主義の歴史の合理性と有効性

中国の国家主義制度は秦が中国を統一後に形成した中央集権専制に起源を発する。制度転換の代替配置として、中央集権専制と封建制はまったく異なる二つの制度であり、前者は一元的な権力構造、権力の縦方向、垂直の配置で、権力の上向きの移行と集中、大政治共同体の統一である。後者は二元的あるいは多元的な権力体制で、権力の横方向の配置であり権力の等級による分有であり、権力の下向きの移行と分化であり、大政治共同体の分裂である。中央集権体制が古の人たちの模範となる「三代〔夏殷周〕」モデルに取って代わることができたのは、多くの歴史的原因があるが、そのもっとも重要なものは、この制度が西周晩期以降の土地制度の私有化運動や人材の流動化の趨勢に適合していたからだ。封建制は財産関係と人間関係が高度に固定化した等級制度であり、侯外盧氏〔中国の歴史学者、政治家〕はこれを「別」と呼んだ。土地は売買できず、人の身分は超えることができず、社会の成員は身分や血統により資源を専有し、これは身分の低い低層の人々に明らかに不公平だった。戦国時代、「聖王作らず、諸侯放恣し、処士横議す〔聖王は現れず、諸侯は勝手気ままな行いをし、学者は勝手な議論を振り回すばかりであった〕」（『孟子』）と、封建制度は社会を統合する役割を果たさなかった。秦による中国統一後、「三代」で行われた正統である封建制を廃棄するか、始皇帝は迷ったが、のちに〔宰相〕李斯は封建制度を廃止して郡県制を実施するよう主張した。帝国時代の主要な制度のあり方は、土地制度の不断の私有化であり、具体的には、漢唐以降、相対的な国有制を実行した。例えば「度田制」「屯田制」「均田制」などであり、国家が土地の配置を主導した。宋になり、「不立田制」「不抑兼併」として、土地の私有化を基本的に放任した。土地の市場が形成され、自由に流動するようになり、「千年田八百主」〔所有者が次々と入れ替わる〕ようになり、勤労によって富を得て、農地を所有し、市場化により土地が売買され、機会が均等化し経済が繁栄した。土地市場の開放と相応したのは、隋唐時代の科挙制度の設立と改善であり、人材市場を創造し、士人〔統治階級〕は門閥貴族や土地によらず、文化により選ばれるようになり、「布衣卿相」〔平民が宰相になる〕機会が訪れた。侯外廬氏はこれを「斉」という言葉で秦以降の制度の特徴としている。人々を平等に扱うことで、大一統の効果だけでなく、機会の平等ももたらした。

　農業文明の時代、中国の中央集権専制制度は西欧の封建制度に比べより有効に社会資源を整理統合することができたが、これは中国経済が近代以前、欧州を超越していた制度的原因である。より重要なのは、こうした制度によって形成された帝国の物語が中国社会の近代への転換にとっての歴史的前提となり、ポスト帝国期の制度変革がこの歴史の前提の下に展開し、西洋とは異なる特有の道筋を規定したということである。

3　社会の転換は制度の変革を核心とする必要がある

　辛亥革命の成功、清末の帝国の崩壊、中国の世界潮流への順応、共和制度の設立は、表面的には社会の全面的な変革だったが、実際には制度は変わらず、一元的な縦方向の垂直型権力構造だった。袁世凱から蒋介石、毛沢東まで、いずれも政治的強者で、武力で中国を統一し天下を治めたが、これは歴史の慣性やポスト帝国期の制度の症状と言えるだろう。一九四九年に政権転換が起き、中国共産党が執政党となり、スターリンモデルを取り入れ、中央集権化をより強化し、国家権力を高度に集中独占し、計画経済を実施し、西側の市場配分の手段を取らず、中国伝統の土地私有化や人材〔登用〕の仕組みも取らなかった。地も人もその力を発揮できなければ、社会はどうやって発展するのだろうか。

改革はこうした絶対的国家主義体制の変革であり、有限の国家主義を実施し、市場を開放し、人的資源を開放し、中央と地方の両方の積極性も加わり、多くの力が合わさって中国経済は高度成長を遂げることができた。中国三十年の改革は、功績は明らかだが、制度の新たな創出はなく、国家は依然として全面的に社会を管理し、社会の発展を主導した。制度の改革はなく、経済発展だけでは、社会が転換したとは言えず、近代国家の列に加わったとは言えない。秦暁〔経済学者、企業家〕は近代化に代わるモダニティにより新たに改革の方向を定めることを主張したが、その意味は深遠である。中国は多くの領域で高度に近代化し、一部の思想や行動様式はポストモダン化している。だが、モダニティの主要な指標、公民社会、憲政制度、私有財産の保護、思想と表現の自由、政治参加と民主的権利、社会の知る権利と政府に対する監視、文化の多元化と社会的協商〔討議〕、これらはいずれも新たな制度要素として現行の制度に取り入れられていない。反対に、国家の力が日増しに強まるなかで、市場の力に依存し生まれた社会の自主性は不断に制限され圧迫される。制度変革が完成できなければ、中国は依然として前近代社会である。

4　中国社会の転換は鍵となる時期に入った

中国の新たな社会の転換は一八四〇年から数えると、すでに百六十年の歴史がある。この間、戊戌変法、洋務運動、辛亥革命、北洋共和、国民政府、人民共和国と異なる時期を経たが、いずれも強者が主導し権力により進められ、鄧小平はそれを集大成した。歴史の経験と現実の教訓、制度の比較、政策の選択、経路の探索、それはいずれも彼に集中し、彼一人が決定した。これは歴史的人物のあるべき選択であり、さらには大勢が赴くところだった。鄧小平が主導した改革は、基本的に歴史的使命を完成し、絶対的で全能の国家主義体制を徹底的に変革し、有限の国家主義の前提の下、全面的に市場メカニズムを導入し、社会の創造力を刺激し、社会の安定秩序を維持し、争わず、先に立たず、資本主義か社会主義かを問わず、発展こそが絶対的な道理であり、一部の人をまず豊かにし、理念は明確で、方法は着実、脇目も振らず懸命にやり、活路を見出した〔鄧小平のスローガン〕。

中国三十年の改革で、経済は持続的に発展し、国力は大幅に増加し、民営経済は無から生まれ、不断に拡大した。中産階級が台頭し、社会の各層それぞれが利益を得て、鄧小平の路線の選択が正しかったこと、国家が主導する社会（市場）発展モデルが有効だったことが証明された。このことに触れないのは、実事求是〔事実に即して真実を求める〕の態度ではない。鄧小平の業績は、歴史に名を残すのに十分だが、さらに多くのやり残したことがあり、それは現在の人の任務である。現在人々はあちこちで、人口の配当はすでに食い尽くし、土地の配当も使い果たし、制度的優位性はなくなった、と語っている。筆者が見るに、鄧小平式の改革の配当はすでに食い尽くしたのである。有限国家主義体制は、新権威主義あるいは新保守主義と表記されようと、人々が望む政治強者に頼っている。だがどこにこのような政治強者がいるだろうか。皆その責任感も気迫もなく、小心翼々として、権威主義体制の余勢で生きているような人ばかりで、どこに開拓刷新の精神があるだろうか。制度変革の切迫性は大勢により決まるものであり、現代の情勢は三十年前と同様、改革がなければ行き止まりである。異なるのは、権威主義政権の合法性と正当性はすでに失われたのに、誰も鄧小平の役割を果たすことができないことだ。現在、制度改革や制度刷新によってのみ、国家権力の合法性と正当性を再建できるのであり、それ以外には道はないのだ。

5　次の改革の重点は脱国家主義である

中国の改革の初期段階は、絶対国家主義体制を改革の対象とし、市場メカニズムを導入し、社会の自主権を拡大し、三十年の時間を経て、目標は基本的に達成され、絶対的国家主義が復活する可能性は絶対になくなった。だが国家権力は新たなやり方で膨張し、驚くほど多くの資源を直接あるいは間接的に掌握し、資本と権力が結合した権貴資本が形成され、国家と市場の二重の優位性を独占し、他に匹敵することのない莫大な利益集団となった。国有企業は業界を独占し高額の暴利を貪り、その利益を国民に分け与えようとはせず、国有とは名ばかりの、実際は少数者が利益を貪る道具となっている。国家は全面的に経済の領域に介入し、権力と資本が頻繁に取引し、道徳的、制度的な制約はいずれも失われ、腐敗は制度上根絶するのが困難であり、執政党の信用やイメージは深刻に損なわれ、自らの力ではそれを救うことはできない。群衆暴動は大規模、広範囲で発生しているが、これはすべて制度の不公正や、思想の陳腐によるもので、人民を敵としており、小さな災いが大乱になりうる。このような制度のあり方は改革が不可避な程度に達している。新たな国を対象とした改革は、経済分野から入り、国家を退出させる政策を実施し、国家のコントロールを調整する。さらに政治分野にも着手し、政治体制改革と憲政制度を進め、制度の根本的な転換を完成し、近代民主国家の列に加わるべきである。

　本文を終えるにあたり、コース教授が『財経』誌で最近発表した文章を取り上げたい。これは中国への最後の忠告なのかもしれない。なぜなら中国に独特の思いを抱いていた経済学者はすでに百一歳の高齢だからだ〔ロナルド・コース氏は二〇一三年、百二歳で死去〕。彼は若い頃、中国は無限の潜在力を持った国だが、十九世紀末から過激なイデオロギーに埋め尽くされ、文化の伝統は知的エリートにより破棄され、浮雲のようにあてもなく漂い、根本を失い、方向を見失っていると考えた。

　中国で一九七〇年代末から起きたすべては、コース氏にとって意外だった。中国に三十年間でこれほどの巨大な変化が起きると誰も予測できなかった。彼にとって、中国政府ではなく、彼が「縁辺の革命」と呼んだ、飢餓に苦しむ農民が発明した生産請負制や、郷鎮企業がもたらした農村工業化、個人経営業者が開いた都市の民営経済の門、経済特区の外資導入や労働力市場の開始、これら完全に国家の外側の「縁辺の力」が中国の市場の転換を推進した。もちろん、彼がこれらの問題を論じたとき、中国政府や指導者を否定し低く見るつもりはなく、特に鄧小平はこのなかで重要な役割を果たした。コース氏は中国経済の三十年間の驚くべき業績に、これは中国の特色ある市場経済の起点にすぎず、その終点ではない、市場社会は終極の状態ではなく、改革開放が自らを改造する変化の過程だと考えた。中国が今後どのような道を進むか、彼は「銭学森の問い」を借りて回答した。「なぜ中国の大学生が一九四九年以降、世界的な創造力のある思想家や科学者を生んでいないのか」。彼はこれに、中国が開放的な思想の市場を欠いているからだと答えている。そして「活力にあふれた思想の市場は学術が卓越する先決条件であるというだけでなく、開放的な社会と自由経済に不可欠な道徳と知識の基礎である」と誠実に書き記している。

筆者が最後に言いたいのは、コース教授は次の一言を言い終わっていなかった、つまり、開放的な思想の市場の前提は、開放的な政治の市場だということだ。

第六章　新民主主義への回帰は可能か

二〇一一年に一冊の本で学界、政界、そして軍部に物議を醸したのは、他ならぬ張木生であった。彼の『我々の文化歴史観の改造（改造我們的文化歴史觀）』（大風出版社、香港、二〇一〇年）は二人の著名人を引き出した。一人は上将〔大将と中将の中間の高級将校〕の劉源で、もう一人は学者の李零であった。文と武で、左に右に矢を射て、天に昇り地に入り、古今を論じ、「我の他に誰がやれる」と気炎を上げた。この本が注目された理由は二つある。一つは劉源の長文の序言である。彼は三つの問題を提起し、ディスコースの方式からテーマまで全般的に張木生の論述と呼応した。軍部の高級将校が、重要な時期において、声高く登場して壮大なことを論じたことで、人々はあれこれ思いめぐらさざるを得なかった。もう一つは、当該書のテーマ——新民主主義への回帰である。この論点を、ただ李零や張木生が提出しただけならば、おそらく大した反響はなかったであろう。まさに劉源の支持が鍵になる。彼の裏には、かつてこの理論の最高のコントローラーであった前国家主席・劉少奇の巨大な姿が存在する〔劉源は劉少奇と六番目の妻・王光美の息子〕。故に、この理論の再現の潜在的な意義について真剣に考慮しなければならない。

　この数年、「紅色資源」の再開発が「唱紅〔革命歌キャンペーン〕」のなかで昂揚しているようである。さまざまな議論を呼び起こしているとはいえ、その「正当性」への口出しは許されない。このような社会動員の方式を執政党はかねてから用いていたが、現代の情勢において有効かどうかは分からない。

それでも、少なくとも「紅色資源」の言説の影響力を活性化し、「紅色世代」の歴史意識を活性化し、さらに重要なことに、この世代の政治的な抱負や社会的な責任を活性化したとは言える。衆知のように、一九八〇年代から流布した「太子党」という言い方は「紅色世代」が「紅色〔革命〕」を継承することの正当性を大いに弱めた。まず、政界に入った高級幹部の子弟たちは社会において信望を集めることができず、党内でも支持を得られなかった。もっとも有力な例を二つ挙げよう。一九八〇年代半ばから、陳昊蘇〔陳毅の長男〕、薄熙成〔薄一波の長男。次男は薄熙来〕、陳元〔陳雲の息子〕は、李錫銘が主導する北京市党委員会の常務委員、副書記、副市長というポストの選挙に出たが、みな落選し、暗澹として政界から引き下がり、別の道を進んだ。もう一つは、鄧樸方〔鄧小平と三番目の妻・卓琳の長男〕の康華公司が捜査を受け、最後は解散に追いこまれたことである。この打撃が強烈であったことは明白である。当時、党内では限られた範囲内で「差額選挙」〔立候補者が定数と同数の選挙を等額選挙、定数以上を差額選挙という〕が実施され、得票数によって中央委員候補の序列が決められた。そして落選者や序列の後部の多くは権門の子弟であった。だが「天安門事件（八九風波）」の後、党内の元老たちは「やはり自分たちの子弟が信頼できる。少なくともご先祖様の墓を掘り返すことはない」と発言した。この発言がなされるやいなや、局面は一変し、北京の高官にすぐなれなくとも、他の省に赴任させた。薄熙来は大連〔遼寧省〕、習近平は福建省、兪正声〔父は元第一機械工業部長・兪啓威〕は煙台・青島〔山東省〕、劉源は華南から軍部へと二十年以上もさまざまに腐心して、地方の諸侯、あるいは大官となった。これにより資源や人脈を増強し、まとめ上げており、その力量を見過ごすことはできなくなった。もし、彼らにより大きな抱負があるのならば、今はまさに時機到来なのである。

　これまで論じたことは、本章の意図の第一側面に関する説明である。それは誰が新民主主義を語っているのかという、言説の主体であり、これはきわめて重要である。改革開放から三十年、学界では新民主主義を再論する者は少なくなかった。諸説紛々であったが、一つの共通認識が基本にあった。それは執政党としての中国共産党が早々と新民主主義の理論や政策を放棄したのが、その後の一連の左派における誤りの起点であるということであった。だが、学者のテクスト化や解読方式と政治家の言説とはまったく別物であり、その効果も間違いなく異なっている。張木生の著書は、そのタイトルから、政治家の文章のようなスタイルであることが分かる。毛沢東は常に「我々の学習を改造しよう」（「我々の学習を改造しよう」は一九四一年五月十九日、延安で幹部会報告として提出され、整風運動において毛沢東思想の重要文献とされ、その後も政治運動で使われた）、「我々の世界観を改造しよう」（「人民民主主義独裁について――中国共産党二十八周年を記念して」（一九四九年六月三十日）『毛沢東選集第四巻』外文出版社、一九六八年）では「世界観」が繰り返し述べられている）などと、「改造」という大げさな言葉を使った。さらに劉源の序にも文人の陳腐な言葉などない。それは秘書の代筆などではなく、自分自身の心情が直截に表明されている。執政党の歴史においては、毛沢東の他に、このような口調で述べる者はいなかった。体制内のお役所式の決まり文句は保身の方法にすぎない。プライベートでは気の向くままに笑ったり怒ったりするが、文字にするときはみな慎重になる。ところが今回、劉源は控え目な論調を打ち破り、公共領域で国事を重要なものとして論じたのであり、そのため衆目を集めたのであった。

　張木生の論法によれば、劉源の提唱する新民主主義には権威があり、疑問の余地はない。父の世代の理論的遺産の総括でも、執政党のために新たに開拓した合法的資源でも、劉源は学界やその他の人物よりも圧倒的に優位である。執政党の第十三回全国代表大会（一九八七年）で提出された「社会主義初級段階」を理論的根拠に、党内では絶えず新民主主義を再び導入しようとする者が現れた。胡耀邦や趙紫陽という二人の前党総書記は、この理論が中国社会の性質を新たにして改革の任務を企画する上で有益だと認識した。趙紫陽理論は「首相」として起草された第十三回全国代表大会の政治報告として承認され、社会主義初級段階論と新民主主義論は実際的に同じもの、少なくとも立論の基礎は一致しているとみなされた。だが一致しているならば、なぜ、新民主主義論は正式に改革の綱領にされなかったのか。その原因を説明する者は誰もいない。論理は同じで、表現方法が異なるだけなのである。さらに発言権は誰によって発明されたのか。誰が掌握しているのか。最後は当然、歴史の評価という問題に関わる。鄧小平主導の改革では独自の理論が必要であった。自分自身の事業の理論的な根拠を他に求めるということなどできはしない。まして三十年が過ぎ、状況は大きく変化した。三十年前の理論を当今の改革に当てはめる場合、旧来のものを再び持ち出してはならず、慎重に検討しなければならない。修正や補充が大いに必要である。後になり、胡績偉〔『人民日報』元社長。二〇一〇年の劉暁波のノーベル平和賞受賞に際して、李鋭（毛沢東の元秘書、元中央組織部常務副部長）や李晋（新華社元副社長）たちとともに言論の自由を要求する公開書信に名を連ねた〕のような党内の異見人士は新民主主義に立ち返ることを論じたが、出発点や重点が異なるとはいえ、いずれも主として民主を追求している。この劇薬のような処方箋は病気を隠して治療を嫌う者たちには耐えられぬことであった。新民主主義の論者の背後には政治がある。「ポリティカル・コレクトネス」か否かにかかわらず、特定の環境や時勢についてみる必要がある。鄧公〔鄧小平〕は「論争せず」を唱えて以来、語るべきでないことは語らず、語るべきことをも語らなくなった。特にこの十年間、党内の思想的状況は「万馬斉喑」〔みな（万馬）が等しく沈黙するという意味で、清代の学者・龔自珍の詩句に由来〕のようで、何事もやらず、話さず、蓋を閉めている。このような形勢において張木生が発言し、劉源が勢いづけたのであり、筆者はこれを大きな突破口として、執政党の合法性を改めてどのように求めるのかという大問題を提出したい。

ここで注意すべきは、張木生の出版記念会での「改革四君子」の一人である翁永曦の発言である〔元中共農村政策研究室副主任、現在は北京大学国際関係学院客員研究員など。また「改革四君子」は彼と王岐山、朱嘉明、黄江南〕。すなわち、共産党員は千万規模の人民を率いて武力で政権を奪取したことは非難すべきではないが、しかし、共産党の執政の合法性の根拠を武装闘争の政権奪取だけに求めることは、昔、皇帝が武力で権力を奪取して天下を治めたことと何ら変わりがない。共産党の権力は人民から授与されるもので、しかも、それは定期的な授与であり、一度労したら永遠に得られるということではない。彼は「我々の党は、歴史上、今日ほど大衆を恐れ、大衆から離れたことはなく、今日ほど本当のことを言わず、本当のことに耳を傾けないこともない」と述べた。この発言は真実を突いており、また社会の共通認識にもなっている。現今の情勢において執政党が従来の方式で政権を掌握し続けられるか否かは、まさに中国にとって最大の問題である。荒れ狂う波を乗り越えるために、張木生は共産党の合法性の再構築を、劉源は最大公約数を求めることを強調した。また翁永曦は、中国共産党を執政集団から真の意味で人民大衆と血脈が通じ合う現代的政党へと改造しなければならないと論じた。諸説は相異なるが、目標は一致しており、この目標の達成には新民主主義に立ち返ることが求められ、それは実行可能な選択であると思われる。

多くの政治的また理論的な選択肢があるなかで、どうして新民主主義が「比較的優勢」なのだろうか。これは本章における第二のテーマに触れるものである。一体、新民主主義は何を主張しているのであろうか。張木生は、理論的な起源から毛沢東や劉少奇による展開、そして新たな理論への変遷というように明瞭に整理して総括した。思想史の角度の研究によるならば、新民主主義の理論や実践は、中国共産党が革命党から執政党への転換において大きな役割を果たしたことを多くの歴史家は認め、論争は少ないだろう。つまり中国共産党が五年をかけて国民党を打倒し、大陸の統治権を獲得した根本的な理由は、理論が正確で、方法が妥当であったということである。新民主主義の認識に関して、張木生の論述によれば、二つのポイントがある。第一は主導権の掌握の問題である。新民主主義の「新」を突出させるのは、いわゆる旧民主主義と区別して、共産党が国民党に取って代わって主導権を確立するためであった。共産党は、まだ勝利を獲得していない段階において「連合政府」で確実な発言権や影響力を持たねばならなかった。そして、共産党の指導に関しても、それは新民主主義論の核心に位置づけられており、この方向で新民主主義の政策や戦略も決定されたということができる。例えば、抗日戦争の後半から国共の重慶会談〔一九四五年八月二十八日から米国の仲介で始まり、十月十日に内戦を避けて平和的な建国に努めるなど「双十協定」が発表されたが、実行されず内戦に突入した〕までの時期、共産党と国民党の兵力は一対四とかけ離れており、全力を尽くしても勝利できるかどうかは確かでなかった。そこで共産党は民主を声高く掲げて第三勢力と融和的な関係をつくることにもっとも力を注いだ。毛沢東は延安で黄炎培〔政治家・教育家で、職業教育運動を提唱。一九四五年に延安を訪れ、中共への理解を深め、中国民主建国会を組織し、第三勢力の代表として活躍した〕と民主に関して語り合った。その言説は策略から出ているが、本音も見出すことができる。だが、共産党が勝利を重ねて大陸を統一する直前になると政治的要求を一変させ、国民党を必ず打倒すべき反動派と規定し、その他の民主党派を共産党の絶対的指導の下に位置づけた。一九五三年になると、「一化三改造」総路線〔社会主義的工業化を目指して、農業、手工業、資本主義商工業を社会主義的に改造すること〕が提起され、共産党と民主諸党派の短い蜜月は事実上終わり、新民主主義路線も幕を下ろされた。これらから、新民主主義の形成と終結の過程は、おおよそ抗日戦争後期から重慶会談、三大戦役〔一九四八年九月から四九年一月にかけて起きた遼瀋・淮海・平津の三つの戦役で、これにより中共は長江以北の大都市を確保し、勝利を決定的にした」から大陸制覇、建国前後から一九五三年までという三段階に分けることができる。毛沢東がルーズヴェルトの「四大自由」〔一九四一年一月六日、ルーズヴェルト大統領は一般教書で民主主義の原則として①表現の自由、②信仰の自由、③欠乏からの自由、④恐怖からの自由を提唱した〕を語り、リンカーンの「人民の、人民による、人民のための政治」を認め、新たなブルジョア民主主義による「連合政府」を主張したのは第一段階であった。その後、共産党は不断に強大化し、統治の地位を獲得すると、毛沢東はこのような話に興味がなくなった。これらの言説の変遷には潜在的な意義があるが、張木生は明らかにこの点を回避している。彼は新民主主義の前提に共産党の指導があることのみ強調し、指導と民主主義の間に歴史的また理論的な緊張関係があったという事実を回避している。そしてまさにこの緊張関係が最終的に新民主主義を終結へと導いたのであった。

もう一つの観点は経済にある。新民主主義の核心は政治と政治的主導権であったが、そこには経済や文化も含まれていた。共産党は大陸の統治権を獲得する時期に、執政党の次の任務として経済発展に重点を置いたことは疑うべくもない。もちろん、いかなる社会制度の下でも経済発展が含まれるが、党内の当時の認識は大体において現実に符合していた。つまり、国力は衰退し、小農経済が主で、工業は未発達であるため、社会主義経済への発展のための物質的な基礎がない。そのため過渡的段階が必要であり、そこから新民主主義が出された。そして具体的な経済政策では、四方八方をまとめるために、資本の「節制」〔部分的な統制〕、「耕す者が田を持つ」〔孫文が提唱したスローガンであり、土地の私有の容認につながる〕、公私の兼ね合い、労資双方の利益など各方面の利益を顧慮した。このような政策の核心は資本の正当性に重点が据えられたことであり、「搾取者を搾取する」というようなものではなかったのである。確かに劉少奇の天津における「搾取には道理がある」や「搾取が多ければ多いほどよい」という発言は問題となったが、当時の理論としてはまちがっていなかった。劉少奇は「新民主主義の秩序を強固にする」というところにまで進み、長期にわたり新民主主義経済を実施しようとした。その方向性は妥当で、路線は的確であったが、惜しむらくは全うされなかった。その原因は明白である。新民主主義の政治がないから、その経済もないのである。「一化三改造」以降、執政党は全面的に左に旋回し、ひたすら社会主義に向かった。政治的には「党の天下」〔「党の天下」は反右派闘争に対して『光明日報』編集長の儲安平が発言した言葉。のちに彼は迫害された〕で、経済的には「国の天下」となり、このような体制下で新民主主義など唱える余地はなくなった。

六十年間の中断の後、それは再演できるだろうか。張木生はできるといい、劉源もまた「正しい原点への回帰」、「最大公約数の追求は新民主主義の他にありえない」という方向性にある。そこで筆者は第三の側面から思考を提出する。新民主主義への回帰は可能か否か。

執政党の三十年の改革には、鄧小平理論、一つの中心と二つの基本点〔一九八七年の中共第十三回全国大会において趙紫陽総書記は、経済建設を一つの中心として改革・開放の堅持と「四つの基本原則（社会主義、プロレタリア独裁、共産党指導、マルクス＝レーニン主義と毛沢東思想）」を二つの基本点とすることを提起した〕、三つの代表〔事実上私営企業経営者の入党を容認〕、科学的発展観と一連の理論的な説明があった。一貫して微妙な言葉づかいのなかに重要な意味が込められていた。鄧小平は実用主義路線を体現し、改革は「白猫黒猫」論のバージョンアップであった。江沢民は政権の第二期において新たな価値を指向し、世界の先進的な制度や文化への接近を目指したが、阻止されてから明確な説明を出さなくなり、左右双方は不満を抱いた。科学的発展観は明らかにエンジニアの言葉であり、清華大学の知識を背景にしている。それは道具主義的理性、均衡と協調、総合的な発展を重視するが、価値的な理性が欠如している。三十年間の改革において、三つのバージョンの理論は中国の問題をクリアに説明していないと言える。ただ目先のことへの対処だけで、未来を見ていない。やることと話すことがバラバラで、資本や権力に狂奔する一方で相変わらず社会主義を説いている。鄧小平は、健在の時に、制度的な弊害について時々反省していたが、この十年は絶対にそうしなくなり、ただ〔ダチョウのように〕砂に頭を突っ込み現実を見なくなった。張木生はこれを深刻に批判し、「権力では法制度を壟断し、経済では権貴資本主義を壟断し、真理ではイデオロギー制度を壟断した」と明快に概括した。このように不合理な現状や不合理な制度をいかに改革するのかに関して、理論的な志向性は不明確で、イデオロギーは有効でなく、人心を集められず、社会の共通認識は形成できない。まさに我々はこのような困難に直面している。これについて各方面で検討されているが、「紅二代」がもっとも焦っていると言える。親の世代が血を流して勝ち取った「紅色江山〔紅い天下〕」が崩壊するのを手をこまねいて見ているだけでは絶対にすまないからである。そこで劉源が登場して独自の筋道から新民主主義を論じたのであり、これは代表例である。これは選挙の綱領として、政権交代前に政見を競い合うという新たな様相を示しており、すばらしいという見解もある。それも悪くはない。党内の民主はまさに異なる意見のせめぎ合いから始まるからである。このせめぎ合いから新たな規則や手順が次第に形成され、制度の変革が開始される。とりわけ注目すべきは、当面の改革の停滞や行き詰まりを打開する力量が「紅二代」から出ていることである。薄熙来が主導する「重慶モデル」と劉源が主張した新民主主義は、革命の資源の再開発に立脚し、共産党の伝統のなかから合法性という資源の再創造を目指している。だが、これらの努力に実際の効果があるのか否か、なおも観察すべきである。そのために、筆者は次の見方を提出する。

1　「紅二代」は現代中国の制度の布置関係において見過ごすことのできない重要な力量を有して

いる。政治・軍事・経済という三つの領域において巨大な人脈や資源を掌握しており、中央から地方まで代表的な人物を擁している。「紅二代」は二十余年も統治に精勤し、もはや残された時間はそれほどなく、転換期に直面している。やるべきか、やらざるべきか。やるとしたらこの十年が最後の段階である。政治家の世襲は、いかなる制度においても普遍的に見られる現象であり、理や情や法において疑問の余地はないが、しかし、政治的な正当性や合法性の問題を避けることはできない。老共産党員は命を危険にさらして天下を獲得したので、その統治権は受け入れられるが、後継ぎの「紅二代」がその歴史を強調しても説得力は弱い。故に憲政の原則に従って合法性の問題を解決するのが唯一の方途である。「紅二代」の価値への指向性は二つある。それは党と人民のためということである。両者が統一できるのがベストである。「紅色江山〔共産党の天下〕」が代々受け継がれるためには人民が認め、権限を授与することが必要である。そうでなければ、「紅二代」の願望に終わるだけである。「紅二代」にせよ、「白二代」にせよ、民心・民意を把握し、時代の潮流に合わせて社会を導き、人民を幸福にしてこそ、歴史に名を残せるのである。

2

新民主主義が再提出されたことは、執政党の理論的な欠乏とイデオロギー的な失効の現れであり、それは実質的に制度的な合法性が失われていることである。張木生のいうとおり、資本が溢れかえっているのに社会主義の帽子をかぶせている。しかもこのような欺瞞や自己欺瞞はあまりにも多い。現在、党規約において掲げられている理論はいずれも策略的な言説であり、初級段階の理論において社会主義というラベルが至る所に貼られている。だが、鄧小平は多くの場面で社会主義ははっきりと説明できないと繰り返した。実は社会主義をはっきりと説明できないというのではなく、中国の社会主義をはっきりと説明できないということなのである。実際に行うことと理論が完全にちぐはぐになっている。社会主義を体現する国有企業は、いつどこで国民に恩恵をもたらしたろうか。ない。まったくない。新民主主義論は、この点について「実事求是〔事実に基づき真実を求める〕」で百年後に社会主義を再び掲げようと主張する。つまり現在の発展段階は資本主義、あるいはその他の〇〇主義であり、少なくとも社会主義ではないというのである。マルクスやエンゲルス、さらには毛沢東を持ち出しても、そう認められないのである。このような意味において、新民主主義の「原点」に立ち返り、資本主義の発展方式を用いて、あるいはルーズヴェルトの「四大自由」やリンカーンの「人民の、人民による、人民のための政治」の意義を認めなければならない。

3

新民主主義論の時代状況が変わったため、現実に照準を合わせることができなくなり、新たな時代において続けて運用させるためには、修正、補充、さらには新たな解釈が求められている。この理論が提出された当時は、共産党は指導的地位にあったが、統治は国民党と共有し、さらに民主党派もそれを分担し得るという政治的空間を基礎としていた。ところが中国が統一されると共産党の独壇場となった。確かに経済では立ち遅れて、資本が不足していたため、各方面との協調や労資双方の利益を主張していた。現在の状況は政治では相変わらず独断的だが、経済は大きく変わり、資本は不足するどころか過剰になり「権貴資本」という変種が生まれた。かつて資本の「節制」を主張したのは、資本を権力の外に位置づけ、独裁の対象、遠慮がちにいえば統一戦線の対象としたからであったが、現在、それは執政の基礎となり、利益共同体ができている。君のなかに私がいて、私のなかに君がいるのであり、もはや「節制」などできはしない。政治ではなおさらである。「四大自由」や「人民解放軍の国軍化」か、執政党の権力独占か。それはまったく異なる制度上の布置連関であり、ガバナンスの効果も違ってくる。当面の現実的問題に照準を合わせるとき、新民主主義論で各方面に満足を与えているようだが、しかし、この新民主主義という帽子が必ず通用するということではない。張木生のいう限定的な条件の下でも——これは党の限定的な条件とみなしてよい——多くの理論的な要素は新民主主義という大枠のなかで共存できないのである。つまり、それが主張するような新たな社会的コンセンサスを導き出すことはできないのである。

4

張木生の解釈によれば、新民主主義論の根本的な前提に共産党の指導があり、それは絶対的に揺るぎない。しかし、新民主主義の変遷史をみれば、それは一貫していない。共産党が最初にこの理論を提出したのは、重慶会談の時期で、国民党との選挙戦の準備においてであった。毛沢東には延安から江蘇省の淮安〔清江浦〕に移り、武装闘争を放棄し、国民党と国会で競い合うという考えもあった。当時、国民党が民主を恐れて壁を高くしており、毛沢東は民主選挙に自信を持っていた。それが実施されれば共産党は大多数の支持を得られ、民主党派の多くは共産党の側につき、共同して国民党の独裁的統治に反対するだろうと思っていた。だが、この段階の輝かしい歴史を、どうして発揚しないのだろうか。劉源のいうように「原点」に立ち返るのであれば、新民主主義論はこの歴史から始めてこそ再び大多数の支持や認可を得られると信じるべきである。民主は新民主主義の再出発の原点である。誰が先に民主を唱え、誰が民主を得て、誰が合法性と正当性の高みを掌握したのか。中国の民衆は情も理もわきまえている。誰であろうと、大きな屋敷から出て、街中の至る所で庶民と握手すれば、票を得られ、支持も得られるのである。

5

新民主主義への回帰は、人心を集め、社会的コンセンサスを形成し、改めて改革の道筋を計画し、執政党としての合法性を再構築することである。もし、一党体制が配置した制度の合法性の危機の根源を正視できないならば、その理論的な有効性は疑わしい。理論的な創造性の指標は、制度の布置連関の現状を弁護するために新たな理由を作り出すのではなく、制度の変革と創生を促進するか否かにかかっている。現段階において新民主主義を再論することの理論的な意義は、真の「原点」への回帰へと進むことである。それは民主主義への回帰であり、民主を核心とした憲政の構築である。これは共産党員がかつて抱いた理想であり、人民は厳かにそれを承諾していたが、今こそ、その実現の時なのである。さらに、この理論の再登場は、「論争しないこと」に終止符を打ち、さらに前進して思想を解放し、思想の市場を解放し、広範な議論を基礎にして多種多様な思想資源を統合することになる。劉源も、また大多数の人々もそのように望んでいると、筆者は信じる。主流も非主流も包摂できる最小公倍数を真に導き出し、左右の理論を結び合わせる最大公約数を得ることが求められる。

第七章　「ポスト紅」の憂患意識と経路依存

最近、大衆向け雑誌での羅援将軍〔一九五〇年〜。元人民解放軍少将。父親は中央調査部部長などを歴任した羅青長〕のインタビュー記事を読んで、はじめて「ポスト紅」という新しい言い方に触れた。筆者がこれまで知っていたのは、たくさんの「革命子孫」あるいは「紅色子孫」たちが、世間で「太子党」だとか「官二代」と呼ばれるのにひどく反感を持ち、好んで自らを「紅二代」と呼んでいたことだ。延安児女聯誼会〔一九四九年の建国前に中国共産党に入党し革命に参加した老幹部の子女たちの民間組織〕の会長である胡木英は、同会が二〇一一年の旧正月に開催した新春祝賀会の中で、「わたしたちはけっして「太子党」だとか「官二代」などではなく、紅色子孫、革命子孫である」とはっきり述べている。中国で「二世」現象が不義、富のひけらかし、特権と一体化して広がった際に、紅色子孫が「官二代」と呼ばれることは確かに彼らの政治的信頼や道義イメージを損なうものであった。以前であれば当官〔役人になること〕は人民の公僕、人民の業務員になるのだと称賛されたものだが、今なおこのような好意的な意味で当官という言葉を口にする人はいるだろうか。官僚の腐敗、為官不仁〔仕官は思いやりの心を持たない〕、官僚の政治的信用度の破綻や道徳イメージの堕落、それに官と民の深刻な対立、といったことは、誰も否定しようがない事実であり、執政党であることの合法的基礎を日ごとに蝕み、紅色伝統の強みを擦り減らし尽くしている。革命の輝かしい歴史は現実においてすっかり色褪せ、かつての道徳感化力を取り戻せなくなっている。こうした背景において、紅色子孫が自ら「官二代」とは別であることを公けに要求し、政治的立場で一線を画すのは、彼らからするとやむを得ないことであり、注目に値することであった。

「ポスト紅」は明らかに「紅二代」よりも包摂力が広い言い方である。彼ら革命世代に連なる二世は、近年の中国社会における他の「二世」現象と比べて重大な違いが一つある。すなわち、彼らの年代は青春時代からはるかに遠ざかっており、すでに彼らの人生上の黄金期は終わっていて、たいていが定年後の身である。今なお政治舞台にいる人でも、おおかた「政治人生」は残り十年前後しかない。彼らは情勢が変化するなかで、廉頗、老いてなお、壮志いまだ報いられず〔戦国時代の趙の武将、廉頗が不遇の晩年を送ったことから、老年期になってもいまだ果たせぬ志に未練を持つことをいう〕、なのである。「ポスト紅」という概念が打ち出されたことには、革命にゆかりを持つ人の切なる期待がある。「紅二代」が集う場面ではしばしば、父親の代が打ち立てた天下を自分たちの代でなくしてはならないのであり、革命の伝統を代々保持しなくてはならない、と意気盛んに強調する人がいる。紅色子孫のこの種の集団意識は、現在のような重要な時期においてこれまでにないほど強くなり、彼らは中国の未来や執政党の運命に対して、彼ら独自の緊迫感や使命感、それに危機感を抱いている。羅援将軍が挙げた詩句「知識人が空論を交わすと言うなかれ、頭脳が投じられた先は血まみれなのだ〔文化大革命前夜に批判攻撃にさらされ自殺した作家・政治家の鄧拓（一九一二〜一九六六年）が、一九六〇年に東林書院（明代の政治・学術集団である東林党の学校）を参観した際に述べた詩の一節。言論活動が命がけであること〕」はまさに力強い声で投じられたのであり、彼らの道義上、後には引けなくなったことを示している。

「紅二代」から「ポスト紅」への概念上の進化は、現実の中国の政治生態における重要な変化を映し出しており、紅色子孫は中国における政治的、経済的、文化的資源を大量に支配しているという前提の下で、彼らのグループには、今なお紅の天下が保たれないのではないか、革命事業がもしや一気に崩れるのではないか、といった一種の憂患意識が存在しているのである。この種の憂患意識は主に二つの面から来ている。一つは日増しに悪化する腐敗行為がすでに共産党の政権を担う地位を深刻なまでに脅かしていること、もう一つは、立憲民主制の導入が共産党の一党政権体制を根本的に変えることである。執政党が生死の存亡の試練に直面している時に、党と生まれながらの血縁関係を持つ紅色子孫として、革命の法的正統性の唯一の政治上の「後裔」として、そして共和国の「長男」として、彼らが表舞台に上がり、紅の総動員を進め、紅の天下を永久に他の色に変えぬよう守る歴史的責任を主体的に担おうとすることは、理解し難くはないはずである。彼らはさまざまな方面から、さまざまなやり方で積極的に態度を表明し、怪気炎を上げて次々と政策や提言を打ち出しているが、このことは未来の中国の歩む方向に影響をもたらす重要な力となっている。

「ポスト紅」の政治上の範疇はいったいどれぐらいなのか。おそらく数量化するのは難しいだろう。筆者の父は抗日戦争期に革命事業に参加し、解放後は地方政府で大きくも小さくもない職務を担当し、定年後は地級市〔中央、省・直轄市、副省級市に次ぐ中ランクの行政単位〕クラスの待遇を受けた。理屈からいえば、筆者も「紅二代」や「ポスト紅」の列に属するはずであるが、実のところ筆者には強烈な紅化の歴史意識や革命への帰属感を持つことは確実に難しい。筆者が信じるに、筆者と大体同じような家庭環境の者は少なくはなく、彼らはたぶんこれまで革命世代の父親から残された特権や優遇にあずかったことはないだろうし、父親の代が決死の思いでたどり着いたその座を自分たちが当然継承すべきだとは考えないだろう。筆者の記憶では、父の給料は一家が十分に暮らしていけるだけのものであり、生活を切り詰めなくてはならない労働者や農民の家庭と比べるとそこそこの保障はあったし、加えていわゆる「幹部家庭」という身分が虚栄心を多少なりとも満足させ得たものだが、こうしたことを除けば、筆者はいわゆる庶民の同級生たちに比べて身分が高いとも、今の言い方でいう「政治的妥当性」が高いとも思わなかった。したがって文化大革命の期間中、譚力夫〔一九四二年～〕。最高人民検察院副検察長などを歴任した譚政文の息子。北京工業大学の学生だった文化大革命初期の一九六六年八月に、革命家二世である自身を正当化する「血統論」の演説を展開して全国的に有名になった〕が「親が英雄なら子は好漢、親が反動なら子は馬鹿者」のスローガンを叫んでいた時も、筆者はこの言葉に気持ちが奮い立つことはなかった。当時筆者が感じていたのは、こうしたスローガンを叫ぶ人の家庭、生活圏や、彼らが代表する階層が、筆者のような「幹部子弟」とは完全に別のものであるということだった。彼らは当時流行した言葉でいう「高級幹部子弟」に属し、また現在自分たちが「紅二代」や「ポスト紅」であると主張する人たちも彼らである。こうした人たちの経歴をひもとくと、彼らの家庭が羽振りよく、父親の代は少なくとも中央官庁クラスの役人か将軍で、なかでも群を抜く者はまぎれもなく「一世代前の無産階級革命家」であることが分かるだろう。おおかたこういう人たちだけが本当の「紅二代」に連なるのであり、理の当然として共産主義事業の紅の継承者とみなされるのである。

　彼らの多くは戦争中に生まれ、馬に背負われた揺りかごのなかで育ち、建国後は彼ら用の屋敷やアパートで暮らしながら専門の学校で学んだ。彼らはたいてい同じような政治文化の環境下にいて、権力の薫陶が染み渡っているとともに、権力闘争の残酷さに対する感覚も持ち合わせている。文革は彼らが集団で挫折に遭った非常なる時期である。毛の直接の指導の下、第一目標は党内で資本主義の道を歩む実権派を打倒することで、林彪の言葉を用いれば〔一九六七年八月九日の「林彪同志八・九重要講話」の一節〕、無産階級文化大革命はこれまで革命をしてきた人たちの命を革《あらため》ることでなければならなかった。革命は枯れ草や朽ち木を砕き、あらゆるものに打撃を与え、鳥の巣が落ちて卵が割れるように何もかもをなくした。高級幹部が真っ先に攻撃を受け、職を罷免され、批判闘争にかけられ、家財を差し押さえられた。深刻な者は生命も保たれず、妻子は離散し、幸いに生き延びた者もかろうじて生命を保てるだけの状態で、常に危険が及んだ。この当時、父親が禍に遭えば、それは子女にも及び、高級幹部の子弟も「黒五類〔親や本人が地主（地）、富農（富）、反革命分子（反）、破壊分子（壊）、右派（右）である者を指し、迫害や差別を受けた〕」に入れられ、「地、富、反、壊」と並び人民独裁の対象にされた〔原文は専政対象。文化大革命において迫害の対象になった者は投獄される以外に各地での闘争会や各地に設けられた「牛棚」と呼ばれる隔離小屋に閉じ込められて人民の監視、批判、暴力を受ける人民専政の方式で迫害を受けた（王友琴、小林一美、安藤正士、安藤久美子共編共著『中国文化大革命「受難者伝」と「文革大年表」―崇高なる政治スローガンと残酷非道な実態―』集広舎、二〇一七年、三八頁）〕。名門一家の子孫は、ことに酷い迫害を受け、天国から地獄に落とされ、死んだり障害を負ったり、牢に入れられたり辺鄙な土地に追いやられたりして、人間としての苦難を嘗め尽くし、人心の移ろう様をまざまざと見せつけられた。古人は「昔、王氏や謝氏の邸宅に巣を作った燕が、今やありふれた庶民の家の軒に飛び入った」といった〔唐の詩人、劉禹錫の「烏衣巷」の一節。栄枯盛衰を表わす〕。文革もまたこうしたアイデンティティ・ポリティクスの巨大なモデルチェンジであり、高級幹部の子弟に生まれつき備わった優位性は破壊されて平民に押し流され、下層社会に加わって人民と運命を共にすることとなった。

「ポスト紅」が文革で体験した出来事は特殊な状況にあり、彼らの大多数がさまざまな程度の影響を受け、上山下郷〔文化大革命中の一九六八年に始まった、都市の青年を農村に送って貧農・下層中農の再教育を受けさせる運動〕で辺境や農村に行くこと〔原文は支辺支農。上山下郷運動は主に辺境の生産兵団に参加する形式と農村で定住する形式があり（厳家祺、高皋著、辻康吾監訳『文化大革命十年史』岩波書店、一九九六年、上巻二六三頁）、たとえば生産兵団に参加する都市の若者は「支辺青年」などと呼ばれた〕を強いられたものの、文革後期になると彼らは真っ先に苦境から抜け出て、父親の代の権力や人脈を利用し、ある者は都市で仕事に就き、ある者は軍隊に入り、ある者は大学に入学し、庶民の子弟よりも多くのチャンスをつかんだ。「四人組」が打倒された後、文革は終わり、秩序が回復して、国家と社会が正常な軌道に乗るようになった。真っ先に実施されたのが幹部向けの政策であり、文革期間中に迫害を受けた幹部、特に高級幹部の名誉を回復するために、政治上の冤罪の見直しが行われ、それにより彼らは改めて指導者のポストに上り、文革が作り出した各種の冤罪事件は徹底的に清算され、文革により破壊された国家の機構は徹底的に修復された。執政党が主導して行った思想解放運動〔一九七八年五月に『光明日報』紙などに掲載された論文「実践は真理を検証する唯一の基準である」は、毛沢東の呪縛から人々を解放する役割を果たした。当時中央党校副校長として同論文を掲載させた胡耀邦は思想解放のキャンペーンを進め、人々が文化大革命を見つめ直すきっかけになった〕のなかで、「紅二代」も次第に姿を現わして一般大衆の目に入るようになった。文革中に迫害を受けて亡くなった老世代の無産階級革命家たちを記念し回顧する文章で、彼らは自身が文革中に経験した苦難や虐待を詳しく描いている。陶斯亮が書いた『やっと出せた一通の手紙』〔陶斯亮著、山田敬三訳「やっと出せた一通の手紙――我が父陶鋳に捧ぐ」（竹内実、村田茂編『ひとびとの墓碑銘――文革犠牲者の追悼と中国文芸界のある状況』霞山会、一九八三年）〕は、彼女の父親である陶鋳〔一九〇八～一九六九年。毛沢東に抜擢されて一九六六年に中央宣伝部部長に就任するも、江青らの批判を受けて失脚。迫害を受けて死亡した〕を愛情込めて書き留めたものであり、感動的な話で読者に涙を誘い、無数の人の心を打ったが、同時に社会全体に対して、毛の誤った路線の下で、庶民も高級幹部もみなが災禍から逃れ難いことを認識させたのであった。文革は党員全員、人民全員に深い教訓を与え、文革を捉え直し、文革の再発を防止することは、当時の社会の共通認識であった。

文革の極端な結末は、その後の改革に正当性と切迫性を与えた。中国共産党第十一期三中全会〔一九七八年十二月一八日〜二十二日〕で確立した改革路線は、民心をしっかりと得て、歴史の潮流に合致したし、執政党の根本利益にも合致した。ただし、改革は国家の制度変革と伝統的な権力体制との調整に直接及んだために、改革が始まるや困難な状態に直面し、石を探りながら河を渡るがごとく、新旧双方の体制を気にしながら、さまざまな力がせめぎ合うなかでバランスを取ることしかできなかった。二重価格制〔国家計画内の物資が安い定価で、計画外の物が市場価格で売買される制度〕が制定されたことは、当時は新しい制度が打ち出されたふうに捉えられたが、実際には、市場価格体制で物資・サービスを供出する市場原理定価と、伝統的な計画経済方式で物資・サービスを供出する旧来の計画経済原理定価という、根本から異なる二種類の価格制度のバランスを取ることであった。客観的にいうと、まさに二重価格制が始まってから、執政党の内部で最初の腐敗が形成され始めた。権力を掌握した者や権力者に近い者は決裁文書と割り当て数を得ることができ、つまりは物資・サービスを手に入れることができた。一九八〇年代初期に起きた商業ブームは、大多数の者はあちこちで転売を繰り返すぐらいしかできなかったが、権力と手腕を持つ者が商品の大量の横流しを行ったことは、まさに官倒〔官僚ブローカー〕にほかならない。率直にいって、官倒を行うことができるのは高級幹部の子弟だけであった。当時樹立され始めたいくつかの大会社はスーパー・ペーパーカンパニーであり、バックが深大で、身分の高い者たちが集い、彼らの最大の強みは決済文書と割り当て数を手に入れられることであり、それを転売すると巨大な財源を掘り起こすことができた。

高級幹部子弟による商業ブームは、権力と二重価格制を利用して転売活動を行うものであり、社会のこの上ない不満を引き起こし、執政党に反省と警戒をもたらした。一九八六年の学生運動〔一九八六年十二月五日に安徽省の中国科学技術大学で起き、北京、上海など全国に波及した学生デモ〕は、改革開放以後の最初の大規模な学生抗議活動であり、学生たちは政府に対して高級幹部子弟の違法な商業活動を断固として阻止し、各種の官僚ブローカー会社を整理するための有効な措置を講じることを要求した。社会からの呼びかけの声や学生たちの理にかなった要求を、政府も重視せざるを得なくなり始めた。一九八八年九月、国務院は康華発展総公司をトップとした官僚ブローカー大会社数社〔対象にされたのは五大官僚ブローカー会社と呼ばれた中国康華発展総公司、光大実業公司、中国農村信託投資公司、中国工商経済開発総公司、中国国際信託投資公司の五社で、鄧小平の息子である鄧樸方が深く関わる中国康華発展総公司が最初にターゲットにされた（『中国改革信息庫』中の「１９８８年轟動全国的〝康華事件〟」、www.reformdata.org）〕を直接のターゲットに、「流動領域〔流動とは所在地が一定しない会社や人を指す。流動人口（一時滞在者人口）、流動単位（鉄道建設など作業のたびに移動する職場）、流動書店（移動書店）など〕」の会社に対して整理および会計検査を行うことを宣布。「天安門事件（八九風波）」の後、一九九〇年二月に国務院弁公庁は正式に通達を出し、中国康華発展総公司およびその子会社の統廃合・転換を進め、官僚ブローカー大会社は歴史の舞台から姿を消した。執政党がこのような措置を取ったことは、当時の中国社会で日増しに高まっていた不満感情への一つの反応だったのであり、さらには党の高級幹部の子供および直系の親族がいかなる形のビジネス活動にも関わってはならないとする重要な決定も出している。もちろん、この決定は根本的に実施されることはなかったのだが、少なくとも執政党がこの問題の深刻さを認識していたことを表わしたのである。

　筆者がこれらのことを挙げたのは、けっして「ポスト紅」の欠点をあげつらいたかったのではないし、歴史というものは誰にとっても避けられるものではない。一九八〇年代は「ポスト紅」の全体的な道徳イメージが作られた重要な時期であり、この時期に良好な社会的評価が受けられなかったことで、必ずやその後の進展に影響を及ぼすことになったのである。実際、「紅二代」には優秀な人たちが大勢いて、彼らには役人の子弟としての悪習は微塵もないし、民に親しみ物腰もやわらかく、非凡な才能を持ち、重要な任務を担い大きな事を成し遂げるだけの知恵や能力もあったのだが、八〇年代の社会および政治の空気のなかで、即座に頭角を現すことは容易でなかったのである。その原因は多方面にわたるが、高級幹部子弟ビジネスが社会に与えた劣悪なイメージは重要な原因だといわざるを得ない。八〇年代初期にはすでに「太子党」という言葉は社会に存在した。もちろん当時はまだ政治上の継承をこのように言っていたわけではないが、明らかに貶すニュアンスを持ったこの呼称で世間の人々が「紅二代」への不信感を表していたことははっきりとしており、しかもこうした不信感は執政党の内部でも広範に根を下ろしていたのである。筆者が「新民主主義の復活」を評論した際に挙げたように、八〇年代中期に紅色ファミリーの子孫数人は、李錫銘がトップだった時期の中共北京市委員会で副書記および副市長の選挙に出たものの全員が落選した。中共中央委員会全体会議における中央委員および中央委員候補の選挙でも、落選もしくは票数が下位だった候補者の多くは名門出身の子弟だった。広く見られたこのような現象が示すのは、紅色子孫が政治の場で安定した社会的基盤に欠け、社会から認められるに至っていなかったことである。

「天安門事件（八九風波）」の後、「紅二代」の発展には重要な転機が訪れた。執政党は情勢や世論の圧力に迫られて官僚ブローカー会社の整理を始めたものの、党内の元老たちは重要なこの時期に頼るべきは自分たちの子弟であることを認識していた。彼らのもとからは、自分たちの子弟は少なくとも自分たちの家の墓を削ろうとはしまい、という言葉も流れてきていた。それは言葉だけでなしに、直ちに制度の上でも施された。一つ目は政治面で、紅色子孫のなかから政治家の人材を急いで育成すべく、思いきって彼らを北京から地方に送り、現地で政治実績や資源を蓄えさせることで、政治を継承するための条件を作り出したのである。二つ目は経済面で、「紅二代」は以前の経験と教訓を汲んで「官倒」の類のみっともない活動をしようとはせず、正々堂々と大型国有企業に入り、金融、電力、通信、交通、不動産、石油、石油化学、貿易、ハイテクなど多くの支柱産業で、十数年の経験を積んで実質上の支配者になっていった。三つ目は軍事領域で、高級幹部および高級将校の子孫を大がかりに集めた。彼らの存在はその任務の特殊性から長らく一般社会では知られなかったが、のちになって次第に姿を見せるようになり、今や中将、大将は少なくない。「ポスト一九八九」の二十年間、「紅二代」という一つの塊は政治、経済、軍事の三大領域において多種多様な顔ぶれを揃えており、この上なく広範な資源と人脈を掌握している。

　文革が終わってすでに三十数年が経ち、おのずと「紅二代」は領域を問わず、過ちや不相応なことをしでかさない限り、誰もが現在のような状況を享受する資格も理由も備えている。社会全体で見ると、彼らはけっして改革の唯一の受益者ではない。そもそも他の社会階層の出身者も、たとえ在野の出身でバックを何も持たずとも、正確なルート、妥当な方法によって三十年間努力した結果、金持ちの一家や高官になるというのはどこにでもあることで、不思議なことではないのである。客観的に見て多様な利益集団が存在する中国の状況の下、「紅」は「紅二代」の原罪ではなく、彼らが政治上経済上の利益を獲得することを阻む道徳面での障害にはなり得ない。むしろ政治および経済での全人民への資源配分の仕組みからして、まぎれもなく「紅」という身分により、「紅二代」は他の社会階層に比べてより多くの合法性、優位性にありつく。中国石油化工集団の前会長である陳同海〔一九四八年〜。中央政法委員会副書記などを歴任した陳偉達の息子〕は、自分たちが「共和国の長男」であり、

するのは当然であると公然と語っている。長男とはどんな概念であるか。中
て、嫡男継承制が意味するのは、長男が政治上の法的正統性と経済的資源の
ことだ。おおよそこのような理念が備わっていたから、陳同海の視野において中
産は家の資産にほかならず、毎日数万元を消費し一億元以上の賄賂を受け取って、
トップによる経済犯罪の筆頭格になったのである。
況は、経済学でいう「パレート改善」、すなわち少数者による利益獲得がその他の
うものではないということから解釈し得るかもしれない。中国のいくらかの利益集
上の命脈を支配していた際に、そのことが社会危機を引き起こさなかった原因は、全
長に便乗していたからであり、少数の利益集団が特権やメリットを享受する上で、
とめるためのコストが、中国社会の大多数者を「マイナス収益」の状態には
、いったんこうした「マイナス収益」が出現し、絶えず拡大すると、社
機が常態化して、挙句の果てに革命も随時発生し得る。三十
、全国民で分け合うことのできる改革のボーナスは
団で山分けし終わっている。執政党の腐敗
な基盤を深刻なまでに損なって
ること。唐の韓愈の「
傾、誰能挽狂瀾於既
倒扶大廈之将
れた南宋の

路依存

上カード
定価 3300円⑩

分類 政治
注文カード
書店(帖合)印
注文数 部
発行所 白水社
現代中国の精神史的考察
定価3300円(本体3000円+税10%)
月 日
9784560094839
ISBN978-4-560-09483-9
C0031 ¥3000E

深刻さや合

もしろ他の階層の人

るのを心配している。延安

一月八日～十四日」に対する筆者

満なことは何か。わが党

なっている。

彼ら

発行所 白水社
現代中国の精神史的考察
定価3300円
(本体3000円+税10%)
ISBN978-4-560-09483-9 C0031 ¥3000E

ため

存亡に関わ

選者数を上回る選挙

査委員会を中央委員会

と政治協商会議を一般社会に

分には次のように書かれている。

が歴代の王朝の盛衰の周期率を超えられ

を恐れず、党全体に掛け値なしにこの一歩

国人民の政治生活はいっそう光り輝く新たな形勢を作り

いる」。

紅二代」の普遍的な心の声と真の願望を反映していると筆者は信じている。彼ら

代が血を浴び奮戦することで打ち立てた天下を手放したくはなく、そのことはたんに理想、政治信念、階級感情や血縁関係だけに関わるのではなく、彼らの利益共同体にも関わるのであり、「ポスト紅」の未来の運命に関わるのである。彼らにとって重大事であるから、積極的に対応しなければならないのである。彼らの十八回大会への提案は重点が党内民主に置かれており、これまでのところ

一般大衆が見ることができるもののなかで党内民主に関するもっとも具体的なプランである。このプランに基づいて党内の機構と権力システムの再編が行われ、執政党を新しく生まれ変わらせることができるのかは今のところ分からない。しかしこの提案活動の積極的意義は、執政党のなかのもっとも正統性のある筋からも、政治体制改革を進めなければ執政党には活路がないことが認識されている点にある。

　執政党が徹底的に改革を進めることが必要な点においては社会全般で高い共通認識ができているものの、いかに改革するかについては食い違いがはなはだ大きく、この点は改革する際の経路依存と経路選択の問題と関わっている。「ポスト紅」にとってみれば、改革はけっして革命ではなく、王朝の交替ではないのであり、父親の代が決死の思いで鮮血をもって打ち立てた紅の天下を、はいどうぞと容易に他人の手に渡すことは断じてできない。紅の天下は三千万人の首と引き換えに手に入れたものであり、もし手に入れたいなら人の首を持ってきて換えてもらえ、と言い放った人がいた。誰が言ったのかを探し出すことはできないものの、「ポスト紅」には共産党の執政党としての地位を揺るがしてはいけないという共通した認識および感情の基層がある。このことは彼らが改革を主張する上での第一の前提であるともいえよう。ある者が打ち出した新民主主義の復活においても、やはり共産党の指導が前提なのであり、共産党の指導の下で、私有化も、限定的な民主化もしくは漸進的な民主化も、司法の独立も、さらには軍を国家の軍にすることも可能なのである。つまるところ彼らは一党政権の下での民主を主張するのである。

　改革の経路に関しての「ポスト紅」の第二の前提は、理論的資源が毛沢東思想、紅のイデオロギーおよび「党の優良な伝統」から来ることであり、共産党の過去の歴史のなかで効果のあった言葉や方法によって、現実の合法性を論証するのである。重慶の「唱紅」運動は鳴り物入りで紅の資源を開発して、紅色世代の歴史意識を存分に活性化し、彼らの政治動員の一つの方法になった。新民主主義理論が再び掲げられたのは、この理論によって改めて社会上の共通認識を凝集し、新たに執政党の合法性を作ることを希望したのだった。延安児女聯誼会が改めて民衆路線を主張したのは、民衆路線を執政党の「勝利を得るための宝」とみなしたのであり、それが「腐敗を明るみにし、腐敗を制止する最良、最速、最小力の手段」だったのである。こうした理論的資源を除くと、近年の国内における政治体制改革についての主流意見はいまだ「ポスト紅」に認められていない。

　第三の前提は、紅の天下を永久に変えぬことを保証すべく、紅色子孫は父親の代の遺志を代々継承して革命事業の継承者であらねばならないとする絶対的責任感を備えていることである。こうした生まれながらの継承意識は、執政党のイデオロギーの論証と一連の制度措置を通じて合法化、正当化され、執政党の揺るぎない地位は紅色子孫の血のつながりによって実現できるものとする。こうした継承意識と一体化しているのが救世意識であり、多くの紅色子孫から見れば、彼らが紅であることの法的正統性を発揚することによってのみ、人民を救い、共同の富を作ることが可能になる。

　紅色子孫による改革の経路は執政党の執政者としての地位に、紅の伝統に、そして紅の継承者であることの歴史的使命に依存している。広い範囲で民意を動かすことができるか、歴史の流れに合致しているか、さらに改革をリードすることができるかについては、筆者が見るに、必ずや克服し難い困難に直面するであろう。伝統国家が立憲の方式で近代国家に転換するいかなる場合でも、改革を主導する集団には強大な道徳的感化力と資源を整合する能力が備わっていなければならない。清末新政以後、清の政権グループはひとえに改革を主導し、民意に呼応することを願って立憲体制に基づき国家の権力システムを新たに作ろうとしたものの、革命の力に割り込まれるという歴史に終わった牽引車でしかなかった。原因は清の政権グループが「三千年未曾有の大変局」のなか、状況と趨勢を読み取ることができず、国民の間で広く立憲改革の共通認識があったのに依然として皇族の権益を不可侵とする前提を堅持し、大清の天下が末永く続くといった古い考えにとらわれ、合法性の基礎を新たに作ることができなかったために、民意や各方面からの支持を失い、政権を続けるための条件を根本から喪失したことにある。

歴史の一場面が再度繰り返されることはなくとも、そのなかの経験や教訓は総括すべきである。紅色子孫はこの三十年間、確かに政治、経済、軍事上の重要な地位を占め、巨大な資源と人脈を握っているが、事実に即していうと、彼らはまぎれもなく道徳的感化力に欠けており、彼ら全体の社会的イメージは、天分の紅のバックがゆえに一般大衆に広く認められるというふうにはなっていないし、彼らのうちの出色の人物にしても人々を信頼、感服させるだけの政治実績や業績に欠けているようである。彼らが当然であるかのごとく他の社会階層よりも多くの強みや機会を享受する際には、その代償がないなどということはあり得ず、道徳的コストの支出を免れることは絶対にできないのである。現在流行している「仇富〔富裕者を憎む〕」もしくは「仇官〔官僚を憎む〕」現象は、社会が不公正である事実を一定程度反映したものである。紅色子孫は現実における利益集団の一つとして、他の利益集団と同様に、社会ランクに見合う合法性と正当性を持つかの厳しい尋問を免れることはできず、この点で責任を免れる権利を持たない。このことが意味するのは、紅色子孫が自らの理論主張を実践に移したいと思うならば、幾重にもなる検証、すなわち道徳的、政治的、そして歴史的検証を受けねばならず、実際のところ最後の検証となるのはやはり人民からだということである。

中国が改革のもっとも重要な時期にあり、政治体制改革の段階に入っていることは疑いようもなく、改革は必ずや現有の権力機構の再編成および各方面の既得利益の再調整に及ばなければならないであろう。現在の中国社会が深刻な利益分断と利益衝突に置かれている状況下で、改革の経路について最大限の社会の共通の了解を得るのはきわめて難しいことである。現在、執政党が考えているのも社会の各方面の人たちが考えているのも、改革の最良の経路の追求にあり、中国が窮地に陥ったり最悪の結果がもたらされたりすることを免れようと努めているのである。この点について、筆者は以下のように考えている。

1　執政党の理想は平等な社会を建設することであり、革命期には平等を実現する約束で人心を集め、人民の支持を勝ち取った。いかなる社会制度においても絶対的平等は不可能であり、権力、財産、血縁、教育など異なる要素が作り出す人間の不平等は、不平等な制度の原因でもあるし、結果でもある。中国の現行の制度には執政党が約束した不平等の消滅というものはなく、制度がもたらした人間同士の差は絶えず拡大しており、利益の衝突が激化し、社会における不平等現象が日増しに深刻化している。紅色子孫は自身の出自がゆえに他の社会階層よりも多くの資源と機会を享受しているわけで、中国の社会構造においておのずから他人よりも有利な位置にいて、実際のところ不平等制度の受益者であることはまぎれもない事実であり、彼らはこのことを認めるべきである。この事実がまさに意味するのは、彼らがけっして他人よりも多くの道徳面の優秀さや政治的妥当性を備えているわけではなく、人民に対してより多くの責任を担う必要もないということである。たとえ今の体制の下であっても、あらゆる人が政治の上で平等なのであり、いかなる救世主もおらず、自分を解放するのは自分だけである。次の段階の政治体制転換は、あらゆる人が真に平等であることを制度の上から真に実現する必要がある。

2　立憲民主制度は執政党が政権を担うことの合法性を再建する唯一の経路であるとともに、紅色子孫が父親の代の遺志を継承してその政治上の抱負を実現する有効な制度措置である。西洋中世の王権神授や中国皇帝の承天受命〔天命をさずかる〕は、実質的に人民から権限を与えられたわけではなく、人民主権の原則に根本から反し、合法性、正当性を備えていない。執政党が暴力革命で天下を取り、武器のなかから政権を生み出したのは、特定の条件下で特殊な方法で人民の支持と権限を勝ち得たわけであり、その合法性および正当性を疑う余地はない。しかし、このことは執政党がこのことによって人民から永遠に権限を与えられたことを意味しないし、ましてや革命子孫がこのことによって政治上の法的正統性の当然の継承者になれることを意味しない。立憲民主制度の建設は主に政治上の主要な三大問題の解決に目を向けたものである。すなわち権力のソースの問題――人民から権限を与えられて公権力の合法性を確立すること、権力への監督の問題――分権とチェック・アンド・バランスによって公権力の腐敗を防止すること、権力の帰趨の問題――権力を社会に還元することで社会の自治を実現すること、である。立憲民主制度はいかなる個人、グループ、階層、党派も、法の定めたプロセスの下で、均しく自己の政治理想や主張を実現する共通の機会を持つことを保証し、暴力による政権奪取や専制がめぐりめぐっての悪い結果を避けるために、民主と法治の方式で国家および社会を統治し、平和的方法で中国の近代化の転換を完成するものである。

3

政治の「二世」現象は西洋の立憲民主制度のなかできわめてよく見かけることであり、問題にもなっていない。アメリカのケネディ一家、ブッシュ一家は中国人によく知られた政治家ファミリーであり、一つの家族の者が代々政治を職業とし、家族のなかから相次いで大統領を出しても、その国の人民から腐敗行為だとは思われないし、彼ら子孫が政治に従事するにあたって前の代の言動を持ちこむこともない。もしも息子ブッシュの大統領当選が父親ブッシュの庇護の賜物であるなどと言おうものなら、それは政治ジョークでしかない。立憲民主制度の下では、父親の代で手にした政権の天下を絶対に手放したくないなどとは、誰が平然と言い得るだろうか。民主的な選択メカニズムにおいては、「政治家二世」が政治に従事することが、ファミリーの伝統、経験、人脈、そして称賛のおかげであることは、きわめて正常なことなのである。なぜなら最終的にはやはり人民の投票によって選ばれたからなのだ。このような現象は政治体制転換期の国でもよく見られ、このたびのミャンマーの華麗なる転身で全世界の注目を一身に浴びたアウンサン・スーチーは、彼女たちの国でもっとも正統な「紅二代」である。ビルマ建国の父であるアウンサン将軍の娘として、彼女は長期にわたって独裁政権の迫害を受けたが、立憲民主の理念でミャンマーの政治体制転換を導き続け、人民の支持を勝ち取り、父親の代の名声を辱めず、家族にも、個人にも、国家にも、功績を自負するところとなった。中国の紅色子孫の多くは、文革の災難に遭遇して長きにわたって下層社会での暮らしを体験し、良好な教育を受けて西洋の立憲民主制度を体験、観察したはずであり、中国の立憲民主制度の建設に力を注ぎ、民主的な方法を通じて自らの政治の抱負を実現すべきである。以前に筆者が書いたように、中国の庶民は善良で心が広く、賢明であり、もしもいち早く外に出て、大通りを人で埋め尽くし、人々と握手を交わすならば、彼らからの票を獲得することができ、彼らの支持が得られるのである。

4

立憲民主方式に従って中国の政治体制の転換を促進するのは、執政党にとっては大きな試練である。執政党は伝統的権力配置システムの根本的変化に直面し、権力のソース、権力への監督、および権力の帰趨における本当の意味での人民主権の制度を作り、人民から権限を与えられた上で政権を掌握することになる。同時にこうした政治体制転換は紅色子孫にとってもこれまでになかった試練であり、彼らが直面するのは政治正統性における多少のアドバンテージや、伝統的な資源の編成方式および各種の現存する特権を失い、他のあらゆる社会階層と同じく民主と法治の軌道の上で社会活動や政治活動を進めることである。彼らは二つの思想上の障害を突破することが必要となる。一つはいわゆる紅の継承者という思想であり、もう一つはいわゆる紅の天下が永久に変わらないという思想である。天下とは人民の天下なのであって、いかなる党派もしくは利益集団の天下でもないのであり、誰が継承するにも人民による選択を経る必要がある。政治体制転換の完成というのも、紅の天下が変わることではなく、執政党がこれまで約束してきたことが実現して人民を国家運営の主人にすることなのである。立憲民主制度はあらゆる人の政治的権利を実現し、あらゆる人の合法的権益を保護する上でもっとも有効な制度措置であり、大多数の人の利益に合致するし、紅色子孫の根本的な利益にも合致するのである。

マルクスが『共産党宣言』ではっきりと指摘しているように〔該当する第二章「プロレタリアと共産主義者」（大内兵衛、向坂逸郎訳『共産党宣言』岩波文庫、初版一九五一年に基づく）の箇所を参照しながらも本書の原文に即して訳出した〕、共産党人は自己のいかなる特殊な利益も持たず、いかなる特殊な原則も掲げず、強調し貫徹するのはプロレタリア階級全体の民族を分かたない共同利益であり、実現に努めることは一人ひとりの自由なる発展およびすべての人の自由なる発展である。中国は今まさにこのような一つの目標に向かって前進しており、誰の子孫であるかは問わず、およそ中国人の子孫であるならばみな力を合わせて、自己の特殊な利益や特殊な原則を出発点にはせず、真の意味で民族の大義と共同利益から出発し、人間の自由を実現し得る立憲民主制度の建設のために、共同で努力すべきなのである。

第八章　憲政と中国共産党の政治的合法性の再建

一八八七年、〔清末の詩人・外交官〕黄遵憲は著書『日本国志』のなかで憲政という言葉をはじめて取り上げ、この言葉が定義する新たな政治制度はたちまち中国の知識人の視野へと入った。清末の帝国は「三千年来未曾有の事態」の重要な時期に入り、いかなる制度によって衰退が進む中国を救うのかが、為政者や知識人にとり大きな課題となった。彼らは二千年続いた皇帝権力の専制制度の根本的な転換という問題に直面していた。西太后あるいは梁啓超にせよ、彼らは異なる知識や情報のルートから、中国は西欧列強の始めた憲政というこの道を進むことによってのみ、帝国の徹底的な崩壊を避けることができると認識したのだった。清末の異なる政治勢力の争いのなかで、立憲君主制〔導入〕の計画は統治者が望んだ通りには実践されることはなかった。しかしそれに代わった共和制度はその合法性を憲法に置き、中国のこの百年の憲政のプロセスが始まったのだった。

　辛亥革命は中国にアジア初の共和国を誕生させた。この憲政の形を取った政治制度が誕生したとき、その実は依然として専制政治のロジックにより支配され、その結果民国初期の政治的な混乱を招き、〔袁世凱による〕帝政の復辟やその後の軍閥の混戦が起きた。孫文は軍政、訓政、憲政の路線図を提起し、それは当時分裂していた中国に対するものだった。軍政の主な任務は軍閥を打倒し、群雄割拠を取り除き、国家の統一を完成することだった。その後一定期間の訓政を通じて、憲政の基礎を固める。孫文が計画したこの憲政を実現する路線図は、明らかに中国の政治の進化の実情に符合し、また中国が民主的な政治制度を樹立するという大目標に符合していた。それゆえ、それは異なる政治勢力の支持を得たのであり、国民党が総理の意思として進めただけでなく、共産党を含めたその他の党派も幅広く孫文の政治理念に賛同し、三民主義と軍政、訓政、憲政の思想を認めたのだ。

一九二八年、張学良は東北で易幟を行い、三民主義を遵守し、蔣介石をトップとする国民政府に服属することを発表した。この事件は軍閥の混戦終結と中国統一の第一歩であり、国共第一次合作の決裂がもたらした国共間の軍事衝突が、軍政段階で解決を要する最後の問題となった。国民党軍は中国共産党の紅色ソビエト区〔革命根拠地〕に五度にわたり包囲戦を行い、中国共産党の生存空間を極度に圧迫し、紅軍はやむを得ず二万五千里の長征を行い、陝西省北部に新たな根拠地を築いた。「九・一八事変」〔満州事変〕の勃発により、日中間の矛盾が国内の矛盾を圧倒し、救国が中国の各党派や各社会階層の共通の願いとなり、共産党はこの千載一遇の機会を掌握し、西安事件を利用して蔣介石と了解に達し、第二次国共合作を開始した。

抗日戦争は中国の憲政のプロセスをやむを得ず中断させた。国民党が指導する国民政府にとり、戦争の特殊な状況は訓政の期間を長引かせ、国民大会を開催して中華民国憲法草案（五五憲章）を可決することも先延ばしとなり、憲政の建設は戦争終了後に全面的に実施することになった。だが、中国共産党は、憲政は戦争状態のなかで進めることが可能で、憲政のプロセスは戦争を理由に中断すべきではないとの立場だった。明らかに、共産党は憲政を実施するという立場において国民党よりもより切迫した態度だった。このような態度は共産党のみならず、リベラル・デモクラシーを主張する第三の勢力、つまり国共両党から分かれた民主党も憲政を加速するとの立場で、国民党統治地区で国民党に憲政実施を求め、一党統治を終結することを求める民主運動が起きた。

中国の憲政運動を主導するため、共産党支配下の延安では、一九三九年末に、新聞、婦女、青年、商業の各界が憲政促進会をそれぞれ結成し、四〇年二月二十日に延安各界憲政促進会を設立大会で、毛沢東は「新民主主義の憲政」という談話を発表し、冒頭次のように語った。「抗日、これには皆が賛成し、すでに行っており、問題はそれを堅持できるかだ。だがもう一つのことがある。それは民主といい、まだ行っていない。この二つのことは、現在の中国にとってもっとも重要である。中国に欠けているものは依然として多いが、主要なのは次の二つ、つまり独立と民主だ。この二つのうち一つでも欠けたら、中国はうまくいかないだろう」。この談話が物語るのは、共産党は断固として憲政という旗を大きく掲げ、人民が独立を果たすのを指導するだけでなく、人民が民主を勝ち取るのを指導しなければならないと主張していたことだ。

「憲政とは何か」という問題に対して、毛沢東の回答は非常に明確だった。憲政とは「つまり民主的な政治である」。彼にとって、この民主政治は欧米式のブルジョア階級独裁の民主と異なるだけでなく、ソ連式のプロレタリア階級独裁の民主とも異なり、彼は中国の民主を新民主主義憲政と位置づけていた。では、新民主主義憲政とは何か。毛沢東は孫文の「中国国民党第一次全国大会宣言」での発言、「国民党の民権主義は、一般平民が共有するもので、少数の人が私物化するものではない」を引用した。毛沢東は、孫文のこの言葉は、新民主主義憲政の具体的な内容であり、「熟読し銘記するべきである」と述べた。

この談話で、毛沢東は国民党が訓政に名を借りて、さまざまな手を尽くして憲政を実施する時期を先延ばしし、これは孫文の遺訓に背くものだと批判した。孫文の要求によれば、国民会議は短期間内にできるだけ早く開催しなければならず、毛沢東はこのことから「孫先生が亡くなって十五年たったが、彼が主張した国民会議はいまだに開かれていない。日々訓政と騒ぎ、時間稼ぎのごまかしをしている。最短の期間が最長の期間となり、それでも口々に孫先生を担いでいる。天にある孫先生の霊は、この不肖の子孫をどう叱っていいかわからないだろう！」と批判した。それゆえ、毛沢東は憲政促進会設立の目的は、頑迷派を促すことであり、彼らを寝そべったままにさせず、一斉に立ち上がって憲政を急いで進め、孫先生の遺訓を急いで進めることだと述べた。

毛沢東は憲政の名前を掲げて専制政治を行う統治者に断固として反対し、中国はすでに憲法を持っているが、民主や自由は目にすることができない、憲法の看板を掲げた大総統は専制皇帝と大して違わず、口では憲政を言いながら「羊頭狗肉」だ、憲政の羊頭を掲げ、売っているのは一党独裁の狗肉だと批判した。毛沢東は「我々は好き勝手に彼らを罵っているわけではなく、我々の話には根拠がある。この根拠は彼らが憲政を語りながら、人民に少しの自由も与えないことにある」と述べた。

毛沢東の「新民主主義の憲政」は、中国共産党がはじめて旗幟鮮明に自らの憲政の主張を提起したもので、孫文の憲政思想の継承と発展を明らかに述べたもので、中国が憲政のプロセスを急ぐよう要求する切実な願いが反映されていた。これは長期間武装闘争を堅持してきた共産党にとって、明らかな路線転換だった。毛沢東は新民主主義の理念により憲政の意義を限定しようと試み、憲政を抗日統一戦線の憲政とみなし、共産党を憲政を主導する力とみなしたが、それでも憲政は民主的な政治であると十分認識しており、これは新民主主義の憲政は他の政治パワーと憲政観について共通認識を持てるとの表明だった。

一九四〇年以降、共産党はその勢力が及ぶ範囲内で、あらゆる資源を動員して、憲政の理念を高らかに宣伝、その根拠地で地方政権を建てるとき、参議会の設立や選挙制の実施を試み、「三三制」実施を試みた。いわゆる「三三制」とは、地方政権の組織で、共産党員、無党派の左派、中間右寄りの勢力がそれぞれ三分の一ずつを占めることだ。共産党は「三三制」政権の実験を全国に広げるつもりだった。彼らが後に提起した「連合政府」構想は共産党が未来の国民政府で少なくとも三分の一の枠を占めることを望んでいた。この目標を達成するため、共産党は憲政を勝ち取ることが必要な手段であり、国民党から合法的に政権を奪う唯一の手段だった。

共産党が実施した憲政運動のなかで、思想と理論の戦いがもっとも重要な位置を占めた。共産党の二つの機関紙、『解放日報』と『新華日報』はしばしば重要な社説や評論のなかで憲政の理念を宣伝した。ジャーナリストの笑蜀が編集した『歴史の先声』（『歴史的先声』、香港大学新聞及伝媒研究中心、二〇一四年）は、共産党が抗日戦争期、特に抗日戦争勝利前後に『解放日報』と『新華日報』に発表した憲政に関する主要な言論を集めたもので、これらの言論は共産党が憲政を実現したいとの切迫した願望を表しており、自由、民主、法治などのテーマを幅広く論じている。笑蜀はこれらを十項目に分類している。つまり、「民主がなければすべては粉飾だ」「民主を争うのは全国人民の事柄だ」「民主主義の鋭利な刀――米国の民主の伝統」「思想を檻から突破させよ」「中国は真の普通選挙が必要だ」「民主が実現しなければ、中国の学生運動は止まらない」「中国の私人資本主義は幅広く、自由に発展させる必要がある」「天賦の人権を侵すことはできない」「一党独裁は至る所で災いとなる」「誰が中国を安定させられないのか？　専制政府だ！」この十項目について、笑蜀は歴史を尊重する原則から、編集時に一切の手を加えず、当時の原文を再現しているが、これは歴史の真相を取り戻し、共産党の重要な歴史の思想の遺産を、長らく捨てられたゴミの山から再び掘り出すことが目的だ。

このような歴史と思想の遺産に対し、いかに認識し評価すべきだろうか。事実上、公式の共産党史は彼らが憲政について発した『歴史の先声』をひた隠しに隠し、棚上げして放置している。共産党が暴力革命で全国の政権を奪取後、憲政の道は完全に塞がれ、『歴史の先声』は失われて久しい。笑蜀はすでに十数年前にこの本を編集していたが、それは人々に次のことを訴えたかったからだ。つまり共産党は歴史的に憲政について明確に主張しており、中国に憲政を実現するとの明確な約束があったことだ。現在問うべきは、この主張や約束は六十年以上遺棄された後、再び履行する必要があるのではということだ。

中国で最近起きている反憲政の逆流はかつてないほどに中国の憲政のプロセスを否定し、中国の憲政に関する歴史的思想と遺産を否定するものだ。一部の御用文化人は、歴史をまったく顧みず、共産党の憲政の主張は一種の言葉の策略にすぎず、国民党と闘争をするための手段であり、憲政をブルジョア階級の独裁とみなし、プロレタリア階級の専政は憲政よりもより高度な民主だとデタラメを語っている。この種の論は憲政が世界の潮流であるという歴史と現実を意のままに抹殺するものであり、共産党を仁義や誠意がなく、約束を守らない存在だとするものだ。

筆者が書いた「「共同綱領」（一九四六）への回帰」という文章では、共産党が抗日戦争勝利前後に中国の憲政建設を加速させるために多方面の工作を行った歴史的事実について考証している。まず、共産党には指導思想での転換があった。すなわち、毛沢東は一九四五年の第七回党大会での政治報告で「連合政府」の概念を提起し、広汎な民主主義の基礎の上に国民代表大会を開催し、各党派と無党派の人々を含めた連合民主政府の成立を明確に主張したのである。この目標を達成するため、共産党は中国人民が切望する、お互いに合意する共同綱領を提起した。「連合政府」と「共同綱領」は共産党が憲政を実施するための主要な政治的主張だった。次に、毛沢東は四五年、蔣介石の招きに応じ、重慶で交渉を行い、「双十合意」に達し、中国政治協商会議の開催の基礎を固めた。その後、共産党は四六年一月に中国政治協商会議に参加し、国民党や他の民主党派、無党派の人々と「共同綱領」を原本とした「平和建国綱領」に共同で署名した。第三に、中国政治協商会議が終了後、共産党は「平和民主建設の新たな段階」をスローガンに、明確に中国革命の主要な闘争方式は武装闘争から大衆闘争や議会闘争、合法闘争へと転換したと認識し、全党に思想の転換を要求し、政治協商会議で合意した条項の実現に着手、具体的には軍隊の削減、連合政府の名簿確定、共産党指導部が延安から淮安〔江蘇省〕に移ることなどが含まれていた。これらはいずれも、共産党が当時『解放日報』や『新華日報』で憲政の空論をしていただけでなく、思想上、組織上、軍事上でも憲政の方式で中国再建の準備をしていたことを示している。

　共産党の憲政の言論は広汎だが、その核心の主張は、政治の民主化、国家の法治化、新聞の自由化、地方の自治化、軍隊の国家化、教育の非党化、経済の市場化などであり、これらの主張は当時中国社会の各階層や各党派の間の共通認識であり、共産党が高く認めていただけでなく、国民党も含む各民主党派も完全に賛同していた。各党派間の主要な食い違いは国共の間にあった。なぜならこの二つの党だけが軍隊を掌握していたからだ。共産党はまず政治の民主化を行い、その後軍隊の国家化を行うことを要求、国民党はまず軍隊の国家化をした上で政治の民主化を要求した。だが、この食い違いは最後には政治協商会議で国民党が共産党の要求を受け入れることで克服された。政治協商会議で合意した「平和建国綱領」は中国憲政プロセスのなかでの重要な文書であり、その署名は国民党や共産党、その他の民主党派、無党派が共同で努力した結果だった。

　広く知られていることだが、「平和建国綱領」合意から六カ月足らずで、国共の間で全面的な内戦が発生、停戦合意は破棄され、政治協商会議で得られたすべての成果はたちまち無に帰し、中国の憲政のプロセスは戦火のなかで徹底的に中断された。この結果を招いたのには、国民党に主要な責任がある。国民党は四六年という鍵となる時期、共産党や他の民主党派が憲政の道を進もうと願っている有利な時期に、情勢に応じて有利な方向に導き、政治協商会議で合意した綱領を実施し、国民大会を開いて中華民国憲法を可決し、憲政への転換を達成しようとしなかった。相反して、国民党は右派と強硬派に操られ、武力を盲信し、軍事的方法で六カ月間で共産党の軍事武装の問題を解決できると考えた。当然、国共合作の決裂を招いた他の深い原因には、旧ソ連の要素や、米国の要素、そして中国共産党の要素もあった、これらの要素が重なり合って、最終的に国共の軍事衝突に発展し、中国が憲政にあともう一歩まで近づいていたとき、突然止まってしまった。その後の戦争では、軍事の勝敗が天下を決め、国民党が完敗し、大陸〔中国本土〕から台湾へと追われ、共産党が大陸を統一し、全国の政権を掌握した。

　憲政は中国において、過去のものとなった。四六年以前、共産党は憲政を願っていたが、それは主観的な願望であり客観的情勢でもあった。軍事力で国民党と大きな差があったなかで、共産党が憲政の道を選び、連合政府に参加することを選んだのは、合法的に国民党の権力を制限し、国民党と権力を分けるもので、当時もっとも賢明なやり方だった。だが共産党が国民党を徹底的に打ち破った後、憲政の各制度を実現することは、共産党の権力を制限することを意味し、他の民主党派と権力を分けるもので、国家の大権を独占しようと願う毛沢東にとって、けっして受け入れられるものではなかった。四九年、新たな政治協商会議が開かれ、第一期中央人民政府が成立、民主党派もその定員の半分を占めたが、これは一見、共産党が四六年に行った約束を果たしたかのようだ。しかし、このような政治局面はわずか数年しか続かず、共産党は新民主主義の段階の終結を宣言し、社会主義改造運動を開始、農業、手工業、資本主義商工業への社会主義による改造を通じて、民主党派の生存基盤を完全に解体した。五七年の反右派運動では、民主党派の代表的な人物は一掃され、「党の天下」の局面が生まれ、憲政思想や理論は民主党派が語ったものでも、共産党自身が語ったものでも、すべて倉庫に封印され、過去の歴史となってしまった。

　あっという間に七十年近くがたち、現在『歴史の先声』を読み返すと、まさに隔世の感があるが、反対に当時の声は以前生き生きとしており、その時代の力と永遠の価値に満ち、当時の中国社会の転換と進歩は依然巨大な現実的意義を持っている。筆者はかつて、四六年に中国政治協商会議で合意した「平和建国綱領」は一文字も変えずに、現在にも用いることが可能だと述べたことがある。当然、このことは七十年前に後戻りするということではない。歴史には仮定はなく、歴史は後戻りすることはできないが、歴史の遺産は継承することができる。現在、歴史の先声のなかから中国が憲政に向かうために利用可能な思想的な資源を探し出すことはできないだろうか。

共産党が暴力革命により国家を執政する地位を得てからすでに六十年がたった。その間不断に政治運動を主導し、党内や国内の異なる意見を持つ者を打倒し、公開のあるいは潜在的な反対勢力を完全に消滅させ、一党独裁の権力構造を作り上げた。この権力構造に合法性を与えるため、共産党は「鉄砲から政権が生まれる」を歴史決定論の高みに押し上げるとともに、革命史観やマルクス主義イデオロギーに訴え、「武力で天下を取った者が天下を治めることができる」という古くからの皇帝権力観を独自の政権観に転化させた。

文革の失敗は、暴力やイデオロギーに頼った政治の合法性が徹底的に破綻したことを意味し、国民経済が崩壊に瀕した現実から共産党はやむを得ず国家全能主義体制を変更し、社会の周辺の力の推進により、徐々に市場化された体制への転換を進め、最終的に市場経済の巨大な活力により経済的な業績を生み出し、枯渇しかかった共産党の政治的合法性に新たな資源を注入した。共産党の改革開放による「配当」という三十年近い政治的安定と経済発展がもたらした国家および国民の富の増大が、共産党執政の地位を国民が承認、支持する唯一の根拠になっていたと言っていいだろう。

経済の業績が暴力革命やイデオロギーに代わり、共産党の合法性の唯一の源になったことは、その執政地位の問題を一度の苦労で永遠に解決するものではない。一党独裁の権力構造が徹底的に変革されない状況で、たんなる経済成長は必然的に新たな合法性の問題を生むだろう。権力の主体が制限をうけずに経済のプロセスに深く入り込んだことで、権力と金の取引が必然的に発生し、大規模な腐敗や、社会における富の配分の不公平、資源と機会の少数の人への集中が生まれ、巨大な貧富の格差が生じた。中国の現在の社会矛盾は、度を越えた暴力統治や硬直化したイデオロギーの教条で生まれたのではなく、経済の業績が国民全体で公平に享受できていないという現実が、国民の執政党への不満を触発したものであり、社会の各種の矛盾が深刻な政治危機を生みつつある。

　共産党がその政治的合法性を再建する新たな道筋はどこにあるのか。鉄砲や筆、そしてお金では国民を有効に管理できなくなった状況で、国民の承認や支持を得るのに、憲政を捨てて他の道があるとでも言うのだろうか。現在この期に及んでも憲政を批判するのは、自己崩壊の過程を加速させるに等しいのではないか。疑いもなく、共産党の思想の倉庫のなかには、すでに利用可能な資源は多くは残っていないのだ。『歴史の先声』に収録された文章は、共産党が唯一国民に向き合い、歴史に申し開きができる思想遺産であり、そして西側や国民党の名の下ではなく、自らの名の下にあるもっとも貴重な精神的財産である。

第九章　中国共産党のアキレス腱

暴君体制の特有の挑戦――誰が衣鉢を継げるのか?

中国共産党第十九期四中全会〔中央委員会第四回全体会議〕が二〇一九年十月二十八日に開かれた。この会では中国の特色ある社会主義制度の堅持と整備、それに国家の統治システムと統治能力の現代化の推進という全体目標が打ち出され、中国共産党は建党百年の時に各方面の制度をいっそう成熟させ、いっそう定型化することについて明らかな成果を出すこと、二〇三五年には各方面の制度がいっそう整い国家の統治システムと統治能力の現代化が基本的に実現していること、新中国建国百年の時には国家の統治システムと統治能力の現代化が全面的に実現し、それにより中国の特色ある社会主義制度がさらに強固になり、その優越性が十分に展開されることが要求された。

四中全会で打ち出されたこの全体目標は、実質的に建党百年と建国百年の二つの「百年」計画を実現しようとしたものである。年数をいうと建党百年はまもなくであり、二〇二一年が中国共産党の建党百周年である。一方、建国百年にはまだ三十年ある。三十年というのはすぐ間近の期間ではなく、中国共産党の第十四期から第十七期までの政権のルールおよび時間に照らせば、少なくとも三回は最高権力の交代を経る必要がある。つまり、現職の最高指導者ののち、三人の総書記が誕生するという意味でもある。しかし、予想外だったのは、現職の最高指導者が中国共産党第十九期三中全会〔中央委員会第三回全体会議〕で主導的に党の決議を通過させ、それにより第十三期全国人民代表大会第一回会議で『中華人民共和国憲法修正案』が通過し、国家主席の任期制の撤廃という党および国家の最高権力の配置についての重大な変更がなされたことである。この重大な制度変革に基づくと、中国共産党の現職の最高指導者は任期の制限がなく、生涯政治の指揮を執ることが憲法の束縛を受けず、理論上は建国百年の二〇四九年まで指揮を執ることができる。

　四中全会が開かれる前、外部では中国共産党の内部における権力闘争について数多くの予測がなされ、四中全会によって党の主席制〔中国共産党中央委員会主席は一九四五年に設置され、一九八二年に廃止〕が復活し〔党主席、正式名称の中国共産党中央委員会主席は一九四五年の設置以来毛沢東がその地位にあり、一九七六年に亡くなるまで続いた。華国鋒、胡耀邦が後を継いだが、鄧小平の主導下で集団指導体制が確立していくなかで、一九八二年の中国共産党第十二回全国代表大会で党主席は廃止され、党の最高ポストは権限を縮小した党総書記に代わった。ただし近年では、習近平政権下で党主席が復活するのではないかとの憶測がたびたび報じられている〕、後継者が確定し、党の最高権力を構成する常務委員会制〔中国共産党政治局常務委員会は党の最高意思決定機関であり、習近平政権下の現行では総書記（＝習近平）を含む七人の政治局常務委員で構成されている〕が調整されると広い範囲で考えられていた。しかし実際には、四中全会の閉幕とともに大勢の人が的外れの結果となり、会の延期や党の最高権力の構成に重大な変化が発生するといった開幕前の種々の推測や予言は物の見事に外れた。筆者は十月三十日にツイッターに次のような簡単な評論を書いている。「1、党内闘争はない。この党はもはや党内闘争をする能力を失った。2、四中全会は遅れなかったのであり、三中全会が繰り上げられたということである。3、主席制であるかどうかは重要ではない。後継者制があるかどうかも重要ではない。定於一尊〔『史記・秦始皇本紀』に載る言葉で、現在の意味は一人の権力者があらゆることの基準になること。習近平の個人独裁ぶりを形容するのにしばしば用いられる」。遅かれ早かれ権力が交代する日は来る。鍵となるのはその後のことだ。4、重要なのはやはり後継者であり、それは事前に用意しても必ずしも立たず、事前に用意しなければ安定せず、事前に用意するもしないも、いずれも難しいというはざまにある。中共は改めて暴君体制の特有の挑戦に直面している。誰が衣鉢を継げるのか？」

上記の判断をしたのは、現行の中国共産党の最高権力の構造の分析にも基づくが、より多くには中国共産党の最高権力の引き継ぎが難局の歴史であるという認識に基づいている。確実にいえるのは、中国共産党は毛沢東の時代からずっと最高権力の引き継ぎの問題をうまく解決したことがないということである。後継者問題は中国共産党という膨大な政治巨人の究極的な難局であり、ギリシャ神話におけるアキレウスの踵のごとく、克服することができない致命的急所になっている。

中国共産党の政治危機の実質は後継者危機である

毛沢東は建国初期から後継者の問題を非常に重視したといえ、彼がかつて期待を寄せた後継者の候補グループには高崗、劉少奇、林彪、彭真、鄧小平、張春橋、王洪文といった名が並び、毛夫人の江青も含まれるが、これら候補者グループは例外なく毛沢東本人、党の内部闘争によって後継者の地位を取り上げられている。もっとも典型的なのは林彪〔一九〇七～一九七一年。毛沢東への崇拝を推進して一九六九年四月の中国共産党第九回全国代表大会で毛沢東の後継者に指名されるが、翌年には毛との関係に亀裂が生じ、ソ連に向けて逃亡中に墜落死した〕である。彼の後継者としての地位は中国共産党章程〔党規約〕に書き入れられるという前代未聞の出来事を通じて疑うべくもない党内の合法性を備え、皇帝一人の下、その他の大勢の上、という彼の地位は党内で誰も挑戦できないものであったが、最終的には毛本人の挑戦に遭った。林彪は後継者の称号からわずか二年後の一九七一年九月十三日に飛行機で逃亡せざるを得なくなり、不幸にもモンゴルで墜落死したが、そのことは中国共産党の文化大革命期における最大の政治危機を作り出し、同時に毛本人の政治的名声や声望に重大な打撃を与えた。林彪事件は文革が破綻した重要な印であり、このことは、後継者問題が確実に中国共産党の権力交代の最大の急所になっていることを表わしている。

毛沢東は死を前にして権力を華国鋒〔一九二一～二〇〇八年。毛沢東の死の直前である一九七六年四月には党内序列二位。毛沢東の死の約一カ月後に四人組を逮捕して文化大革命を事実上終結させ、一九七六年十月に党主席に就任。自らの正統性を強めるべく毛沢東路線の継承を掲げるが、一九七八年十二月の中国共産党第十一期三中全会で主導権を鄧小平に奪われた〕に渡したが、これが沈思黙考の末の政治的措置でないことは明らかで、ある種の意義をいえば、当時の党内の派閥闘争の構造から毛沢東が迫られて下した折衷的な措置であった。彼は権力を張春橋〔一九一七～二〇〇五年。文化大革命を主導した四人組の一人で、毛沢東死去当時は鄧小平、華国鋒と同じ国務院副総理〕に渡さず、鄧小平にも渡さず、華国鋒という、見るからに党内各派の誰からも受け入れられそうな折衷的な人物に渡したのだった。しかし、表面的には党内のさまざまな政治力学のバランスを十分に取ったこのような最高権力の配置は、毛沢東の革命事業を徹底的に葬り去った。後継者問題をうまく解決できなかったがために、最終的には自分が裁定を下した後継者が自らの政治の墓場を掘り起こす者になろうとは、毛沢東は死ぬまで想像できなかった。

華国鋒の政権は鄧小平が三度目の復活をしてから危機に陥った。それは実のところ毛沢東の後継者の危機が続いていたのであり、華国鋒は「四人組」を粉砕した後、党の主席、軍事委員会主席および国務院総理の三職を一人で束ねるという前例なき党、政、軍の三権を掌握した存在だが、鄧小平や陳雲〔一九〇五～一九九五年。中共八大元老の一人で一九八〇年代から九〇年代にかけて保守派の重鎮であった」など党内元老の共同の挟み撃ちのなかで、またたくまに党内で立ち行かなくなり、実際に指揮を執ってから五年足らずで権力を手放さざるを得なかった。「四人組」を粉砕した「華国鋒方式（党内武力解決）」と華国鋒の問題を解決した「鄧小平方式（党内平和的解決）」は異口同音だといえ〔一九七六年十月六日、華国鋒は八三四一部隊を動員して四人組を逮捕した。一方、鄧小平は権力闘争の末に華国鋒を失脚させた〕、どちらも党内最高権力の非正常の交代、引き継ぎであり、プロセス面での合法性を備えていなかった。陳雲は「四人組」を解決した方法について、特殊な時期における特殊な方法であると考え、「今回のみの特例」であるべきだとの言い方をしたことがある。明らかに彼は、党内の闘争を武力で解決するやり方が党内で常態化すると、党に安らかな日は永遠に来ないと苦慮していた。「武力解決」の方法に比べれば、鄧小平が平和的方法で華国鋒の権力を手放させたのは「手続きの正しさ」の上で一歩前進している（華国鋒は一九八一年の中国共産党第十一期六中全会で党主席、軍事委員会主席を辞任した）。しかし、党内の政治倫理から見れば、この際の権力の引き継ぎも明らかに道義上の正当性に欠けるものであった。

　華国鋒の失脚が、毛沢東時代が遺した「後継者の難局」の一つの結果だとすれば、華国鋒の後に総書記〔当初は党主席〕を務めた胡耀邦〔一九一五～一九八九年。鄧小平の信任を得て改革開放路線を推進するが、急進的な改革路線に反発する保守派の巻き返しに遭い、失脚した〕と趙紫陽〔一九一九～二〇〇五年。鄧小平に抜擢され、首相として胡耀邦とともに改革開放路線を推進。胡耀邦の後を継いで総書記に就くが、一九八九年の天安門民主化運動で学生寄りの姿勢を批判されて失脚した〕の二人の非正常な失脚は、鄧小平の「後継者の難局」の二つの結果と見ることができる。胡と趙の二人をそれぞれ党政の最高指導者に任じるという鄧小平の決定から見ると、それは鄧小平が党内の実権を握った後に打ち出したもっとも重要でもっとも正確な決定であったというべきであろう。しかし、このもっとも重要でもっとも正確な決定も終始貫徹することはできなかった。当時、党内の最高権力の構図では鄧小平と陳雲が最高権力の第一グループで、胡と趙は第二グループでしかなく、胡と趙は名義上こそ党と国家の最高権力の位置を占めていたものの、実際にはずっと後継者の位置に置かれた。鄧小平の構想では、少なくとも中国共産党第十三回全国代表大会（一九八七年）の後に、彼を含めた元老の全員が徐々に最高権力の構造から退出して、本当の意味で党と国家の大権を胡と趙の二人に渡すつもりだった。

　鄧小平が主導したこうした最高権力の交代のプロセスは一九八七年一月に重大なアクシデントが起き、胡耀邦は華国鋒と同じ運命に遭遇した〔一九八六年十二月に安徽省の中国科学技術大学に端を発し全国に拡大した学生デモの処置をめぐり、その寛大な対応が鄧小平の逆鱗に触れた胡耀邦は、保守派、元老グループの連日の批判にさらされた挙げ句、一九八七年一月十六日の政治局拡大会議で総書記を解任された〕。胡は党内元老の包囲攻撃を受けて早々と失脚を迫られ、趙紫陽が党の総書記の座を引き継いだ。一九八九年の「六四〔天安門〕事件」の爆発によって、趙紫陽もまた胡耀邦の前轍を踏み、彼は学生たちを武力弾圧する鄧小平の決定に断固反対して自発的に辞職した。ここに至って、鄧小平が裁定した胡と趙という後継者コンビは党内闘争によって徹底的に潰された。

　一九七六年に華国鋒が主導して「四人組」を粉砕してから一九八九年の「六四事件」の爆発まで、中国共産党の政権グループは十三年間にわたって最高指導者を三度代えており、このことは中国共産党が実のところ一貫して後継者の危機に置かれたことを示している。危機の根源は党の実際の最高指導者と名義上の最高指導者が分かれていた状態だという点にある。すなわち華国鋒、胡耀邦、趙紫陽は党内の派閥闘争の構造の制限を受ける名義上の最高指導者であったのに対し、鄧小平と陳雲が実際の最高指導者だった。趙紫陽の失脚が党の政権グループに意味したのは、党の最高権力の二元構造がもはや党の指導を有効に調整できず、党の総書記が実際には「失権」状態に置かれていることだった。すなわち総書記は実質的に党の元老グループの制限を受け、同時に総書記と軍事委員会主席の並立といった「分権」状態に置かれていたのである（胡耀邦、趙紫陽が総書記であった期間、中央軍事委員会主席はいずれも鄧小平だった）。この最高権力の骨格の形成は鄧小平の利己心――非正常の方法で党の最高権力を操る――から来ているし、同時に党内闘争の構図――いわゆる「改革派」と「保守派」の権力レース――からも来ていた。一九八〇年代の中国共産党の内部は改革の是非をめぐる闘争で動いており、それは実のところ、鄧小平が裁定した胡耀邦と趙紫陽か、それとも陳雲が望んだ鄧力群〔一九一五～二〇一五年。ブルジョア自由化に反対する立場から胡耀邦を批判するなど保守派の理論家として活躍した。胡の後の総書記の座を趙紫陽と争ったが、敗れた〕かといった後継者の争いだった。

任期制、「隔世決定制」および「儲君〔皇太子〕制」――党の最高権力の制限

中国共産党の党内闘争はこの上なく残酷無情であるが、重大な党内闘争が終わるたびに、党内の各派はさまざまな方法でバランスや妥協点を探し求めた。趙紫陽が失脚した後、誰を党の総書記にするかについて、党の最高権力層はまたもレースを始めた。レースの末に達した基本的共通了解は次の通りである。１、鄧小平は以前の二回の総書記指名の人選で失敗しており、三回目の指名権は喪失した。李先念〔一九〇九～一九九二年。第三代国家主席（一九八三～一九八八年）。八大元老の一人〕が指名した江沢民が新たな総書記に就任する。２、江沢民は非公然に権力を授けられる従来の方法での総書記就任はできず、権力交代の合法性を保証すべく党の全体会議を通じて権力を授かる必要があると要求した。３、最高指導者の任期制を実現し、憲法の規定〔一九八二年制定の憲法〕に従って国家主

席の任期は二期まで、各期五年とする。4、「隔世決定制」を確立する。すなわち現職の総書記の決定で次期総書記の人選を行うのではなく、前任の総書記もしくは実際の最高指導者がこの権限を行使する。5、「儲君〔皇太子〕制」、すなわち最高指導者の継承者の制度を作り、新任の総書記について確認を行うと同時に、その次の総書記の人選についても確認を行う。

　中国共産党の上記の五つの共通了解は、今のところ党の正式な文書で公けに確認することはできないが、江沢民の正式な政権〔江沢民は六・四直後の一九八九年六月二十四日に総書記に就いたが、実質的なトップになったのは鄧小平たち元老が引退し新しい政治局常務委員が選出された一九九二年十月十二日開幕の中国共産党第十四回全国代表大会からである〕が十年（党の第十四期から十五期まで）、胡錦濤の政権が十年（党の第十六期から十七期まで）であることの年数から見れば、彼らは厳格に任期制を行っている。中国共産党章程〔党規約〕には総書記の任期の規定はないものの、党の総書記、軍事委員会主席、国家主席の三位一体の権力の仕組みからして、党の最高指導者の任期は国家主席の任期を基準としている。江沢民と胡錦濤は任期制を実行するとともに、「隔世決定制」と「儲君制」も厳格に行っており、江沢民の後継者が胡錦濤であることは鄧小平が決定し、胡錦濤の後継者は江沢民が決定したものである。

　中国共産党の最高権力の配置において任期制、「隔世決定制」と「儲君制」が行われたことは、鄧小平と彼の主要ライバル——陳雲を代表とする元老派——との政治レースの結果であるとともに、一九八〇年代に党の最高権力に対する制限および最高権力の引き継ぎを有効に解決できなかったことによる多くの問題に基づいて出された彼らの反応であるというべきである。党の権力の枠組みのなかで最高権力にはいくらかの制限が必要であるし、党の最高権力の任期にも制限を設ける必要があり、さらに権力の引き継ぎについても前もって順序立てて配置する必要があるのであって、さもなくば党は必ずや一九八〇年代のような波乱の政治が続くであろうことを、彼らは共通して認識していたのである。

中国共産党第十四期以後、上で述べた三つの制度措置の下で、党の最高権力は統一化に向かい、従来の総書記、軍事委員会主席、国家主席の三人からなる権力構造は終わった（第十三期は趙紫陽が総書記、鄧小平が軍事委員会主席、楊尚昆が国家主席であった）。党、政、軍の最高権力が一人に集まり、実際の最高権力と名義上の最高権力が一つになった。このことは党の最高権力の構造が一九八〇年代の混乱状態を終えたことを示しており、最高指導者が党のトップ、軍隊の統帥、国家の元首の地位を同時に兼ねることは、調整がしやすく、権力を集中させることができ、合法性を強めることもできた。ただし、最高指導者の権力は無限でなく制度の束縛を受ける。最大の束縛は任期制であり、最高指導者の任期は二期十年を超えてはならないのだった。中国共産党の政権グループは明らかに毛沢東式の終身制が党にもたらした巨大な損壊を十分に味わっており、任期制は少なくとも時間の上からは最高指導者の行為を束縛することができ、したがって誤った決定や行為も無限に続くことはなくなる。任期制の実行と同時に「隔世決定制」と「儲君制」を設けることも、最高指導者の権力を制限するため——後継者決定の権限をなくす——であり、それにより最高指導者は二期の任期を終えると時間通りに交代する必要があるとともに、交代するのは自分の決定によらない後継者なのであり、現職の最高指導者に対するこれらの制度措置の制約の効果は一見して分かるものであった。

党の政権グループが第十四期以降に最高指導者の任期制および「隔世決定制」と「儲君制」を実行して重点的に解決したのは、一九八〇年代から残された党の最高権力の分化、制御不能、最高権力の引き継ぎの混乱などの問題であり、党の最高権力を一人に統一、集中させ、同時に最高指導者の任期と後継者の決定に制限を設けるという制度上の変化は、毛沢東時代の権力終身制や鄧時代の最高権力の混乱状態と比べると疑いなく進歩があった。中国共産党が立憲民主の方式で国の政治制度を構築することができない条件の下では、党と国家の指導者の任期制を実行し後継者決定の権限をなくしたことは、政治体制転換における過渡的な方法の一つと見ることができる。江沢民は二期にわたって政権を担った後、鄧小平が決定した後継者である胡錦濤に平和的に権力を渡し、胡錦濤もまたこの規則によって二期の任期を終えると権力を新たな最高指導者に渡した。全体で見れば、二人とも党の最高権力の三つの制度措置を遵守したのである。江沢民は総書記および国家主席の職からはずれたのちも軍事委員会主席に半期だけ留任し続けたが、明らかに彼も党内で定まった「決まり」を気にしており、あえてこの権力を長期間手元に置こうとはしなかった。胡錦濤はよくわきまえていて、党の第十八回全国代表大会〔二〇一二年十一月八日〜十四日開催〕で完全に退き、一度に党、政、軍の三大権力のすべてを新しい最高指導者に渡したが、それでも彼はけっして「隔世決定」の権限は放棄せず、胡春華〔一九六三年〜。元国務院副総理〕と孫政才〔一九六三年〜。二〇一二年に胡春華とともに中央政治局委員に昇格するが、二〇一八年に収賄罪で無期懲役の判決を受ける〕は彼が決定した継承者のはずである。

　中国共産党第十四期で確立した党の最高指導者の任期制および「隔世決定制」と「儲君制」は、その後の二十年という時間で二度にわたる総書記の権力の交代を経て、基本的に定型化し、党全体で認められた三つの制度措置になったというべきである。この三つの制度措置に基づき、党は一九九二年以降の二十年間、少なくとも最高指導者の任期の問題、後継者決定の問題、最高権力者の引き継ぎ、交代の事前準備の問題という一九八〇年代に終始党全体を悩ました三つの核心問題を解決した。

任期制から分配制へ——大規模な腐敗の制度的根源

注意すべきなのは古い問題が解決すると新たな問題がまた出てくることであり、江と胡の政権の二十年間、政治の運営は比較的安定し、党内闘争も緩和に向かい、しかも高度経済成長が続いて国家と国民の財産が大幅に増えたものの、党内の政治倫理は急激に悪化し、腐敗が幾何級数的に増えていく状態になった。新たな問題が起きた原因は――筆者は「党権主義の新時代における最後の闘争」のなかで分析した――任期制および「隔世決定制」と「儲君制」の実行と直接の関係がある。第一に、任期制の束縛の下で最高指導者の執政の時間は十年間しかなく、現職の最高指導者はこの十年のうちの最初の二、三年間は前任の最高指導者が確定した人事配置の対応と処理をする必要があり、最後の二、三年間は権力引き継ぎ後の人事配置を考慮する――可能なのは新たな党中央の指導者グループのなかに自らの持ち駒を置くぐらいであるが――必要があるわけで、したがって十年間の政権期間のうち半分ぐらいの時間しか真に最高指導者である自分にとっての有効な執政期間はないのである。第二に、「隔世決定制」の束縛の下で現職の最高指導者には自らの後継者を決定する権限がなく、自らの希望で自らの政治路線を継続することのできる継承者を育てることができず、このために彼は任期内で自らの政治上の意志を貫徹する際に時間（任期）の制限および継承者の制限を受けるわけで、第二期目の政権時の最後の数年間は「暫定政権」に成り下がるしかないのである。第三に、「儲君制」の束縛の下では、党の最高権力の構造において実質上、前任の最高指導者、現職の最高指導者および次期予定の最高指導者（後継者）の三つの権力の中心が存在し、党の最高権力は分化された状態に置かれ、統一的、集中的、有効的な指導力が形成されようがないのである。

　まさに任期制および「隔世決定制」と「儲君制」が現行の最高権力の枠組みに対して存在するこうした大きな制約的要素のために、これらが導く直接の結末として、二十年の長きにわたって党の最高権力は分化および弱化を続けている。最高指導者の権威も次第に減り続け、江沢民であろうと胡錦濤であろうと、自らを党内で優勢な地位に立たせておくには権力の交換および一部の権力の譲渡を通じるほかない。例えば、最高権力のレベルで党と政が分かれ、国務院が統一的に全国の経済部門および社会部門の仕事を指導する権限が強化されたことで、いわゆる「江朱体制〔江沢民総書記と朱鎔基首相〕」と「胡温体制〔胡錦濤総書記と温家宝首相〕」が形成された。党権と軍権の関係でいえば、江沢民政権の開始から一部の権力を軍の高級将校たちに譲るという大きな妥協をせざるを得なかった。胡錦濤の政権時になると党は実質的に軍権を制御できない状態に置かれ、軍の高級将校の任命権の大部分は当時の軍事委員会副主席だった郭伯雄〔一九四二年～。引退後の二〇一六年に収賄罪で無期懲役の判決〕と徐才厚〔一九四三～二〇一五年。引退後の二〇一四年に収賄容疑で訴追を受け、翌年病死〕に握られ、党の軍事委員会主席は名ばかりのものだった。党の最高権力が分化するなかで、党内では「九龍治水」構造、すなわち「九人の政治局常務委員〔胡錦濤政権時は九人、江沢民政権時は七人〕の共同統治制」が形成された。胡鞍鋼の言い方を用いるなら「集団総統制」であり、最高指導者の「核心」の位置は取り消され、九人の政治局常務委員が同じく「国家最高幹部クラス」の待遇を享受し、各自が大きな領域を分担して管理した。まさしく最高権力の分化と譲渡、および最高権力の相互牽制と調合、といった枠組みのなかで、党内の権力分配制が形成されたが、党内の権力分配制は党内の大規模な腐敗の究極的根源である。

　党内の権力分配制の出現が意味するのは、任期制および「隔世決定制」と「儲君制」がけっして党の核心問題を解決する有効な制度措置ではないということである。すなわちこれら三つは権力のソース、権力への制約、および権力の帰趨の問題を回避しており、党の最高権力と党の権力の引き継ぎは少数の人物さらには特定の個人によって決められ、根本的に立憲民主制度の準則に反しており、したがって権力の制御不能と権力の腐敗が出現するのは必然的な出来事なのである。党の任期制および「隔世決定制」と「儲君制」の問題を解決するには、新たな制度変革を探し求める必要があることは明らかであり、立憲民主の方式で党と国家の指導者の制度を構築することが唯一無二の選択のはずである。しかし、新時代の制度変革は逆に反立憲の方向に導かれており、任期制および「隔世決定制」と「儲君制」がなくなるのと同時に、再び毛沢東時代に後退し、筆者が言う「党権主義」の権力構成が作られ始めている。その主要な特徴は、党の権力を強化、拡大し、さらには党＝国家制度を形成して、党をもって政府に代え、党をもって軍に代え、党をもって法に代える党による統治システムを形成することである。党の権力は市民社会や公民社会を凌駕するのみならず、政府の権力、軍権およびその他のいっさいの公権力をも凌駕し、党はいっさいの公権力と私的権利の共通統治者となる。現在の党権主義の権力構成から見れば、社会のあらゆる権力は公権力に集中しており、あらゆる公権力は党権に集中し、あらゆる党権は独裁に集中（定於一尊）しており、こうしたことはすでに毛沢東の時代を超えている。すなわち毛沢東の権力がさらに大きくなっても、彼が一人で十数ものグループ長の職務を兼ねることは絶対になかったのであり、少なくとも全国の経済部門の仕事を処理する権限は周恩来が指導する国務院のシステムに渡していたのである。

新時代の党権主義の究極的な権力の難局

鄧小平が始めて江沢民と胡錦濤によって二十年間実行された党の最高指導者の任期制および「隔世決定制」と「儲君制」は新時代に徹底的に廃止され、新時代の中国は再び個人の独裁と終身制を核心とする最高権力の枠組みに戻った。このことは中国の未来の社会と政治の進展にいかなる重大な影響を及ぼすのか。ひいては中国の対外関係にいかなる重大な影響を及ぼすのか。アメリカ人はすでにこの点で判断を下したというべきであり、中国共産党が二〇一八年三月、憲法改正を完成し国家主席の任期制を廃止したその時から、アメリカの与野党および民間シンクタンクの間では次のような基本的共通認識が形成されている。すなわち、中国共産党が指導する中国は市場経済化の過程で徐々に立憲民主国家に転換するのではなく、毛沢東の全体主義時代への後退に向かって大きく踏み出す準備をしており、また中国共産党が指導する中国は普遍的価値観に基づいた国際秩序に入ろうとするのでもなく、いわゆる「中国方案」〔人類の運命共同体を構築しウィンウィンの共有を実現するなどとした習近平政権が推し進める中国の外交プラン〕によっていわゆる「人類運命共同体」を構築し、現行の国際秩序に対抗、ひいては取って代わろうとしているのだ。だとすれば、これ以上の理論説明をするまでもなく、中国共産党が新時代において最高権力の制度の変革を完成し、最高指導者の任期制および隔世決定による継承者制度をなくしたことが、党権主義の個人の全体主義を根元から制限することがない制度や条件を設置し、最高指導者の実質的な終身制のために憲法の妨げを一掃しようとしたものなのだということは、人々に広く認識されているのである。

　明らかに中国共産党は今や再び毛沢東時代以来の権力の悪循環のなかに入っている。終身制をなくし最高権力者の政権の時間を制限したことは、最高権力の分化と弱化をもたらし、党内の分配制を形成して党内の大規模な腐敗を作り上げたわけだが、任期制をなくし最高権力者の政権の時間を延ばすことで、今度は最高権力を高度に集中させ、定於一尊の個人の独裁が形成され、さらには党の権力が政権（政府の権限）、軍権、法権、民権を全面的に凌駕する絶対主義の状態を作り上げるのである。中共は立憲民主の道を拒む限り、永遠にこの権力の悪循環から出ていきようがないのである。

　新時代においての権力システムの変革を見るに、すでに党権主義の完璧な支配システムが建設されている。すなわち、憲法改正により長期政権ひいては終身政権に対する法律の妨げが一掃され、反腐敗運動により党内の誰をも戦々恐々とさせる恐怖によるバランス調整を行い、軍隊をがっちりと押さえることにより個人独裁の拠るべき存在としての国家の暴力機械を掌握し、あからさまな個人崇拝により党内で提灯持ちを競っておもねりへつらう皇帝讃美文化を作り上げ、さらに一歩進んでビッグデータなど最先端のＩＴを掌握することにより前例のない政治デジタル全体主義帝国を作り出している。しかし、これらすべては、いずれも党権主義が直面する究極的な権力の難局を有効に解決することができない。それはすなわち、後継者の問題を最終的に解決することができないために、権力の制御システムが遅かれ早かれ崩壊する日が来るのである。毛沢東のような建国の君主は中国共産党の歴史において誰も匹敵する者がいない存在であるが、彼も最終的にはひとえに彼のせいで出来上がった後継者の難局に敗れている。現在の指導者がかりに毛沢東のような非凡な才略を備えていたとして、彼は毛沢東のような結末を回避することができるだろうか。

　いかなる立憲民主国家においても後継者問題は問題として成立し得ない「擬似問題」である。トランプ大統領があらかじめ自身の後継者を置かなければならないとは想像することができない。あるいは安倍首相はあらかじめ彼の後継者を決めなければならないのだろうか。立憲民主の制度措置の下では、国家の最高権力の引き継ぎや政党の交代は選挙民によって決定するのであり、いかなる政党も後継者を決定する権力を有しない。しかし、中国共産党の現行の権力構造においては、後継者問題は「真性問題」であり、党の生存と継続に関わる大問題であると同時に、彼らが根本的に有効に解決することのできない決定的問題なのである。

Ⅲ　社会批判

第十章　中国における道徳の困難

中国の道徳体系が崩壊しかかっているということは全国民が認めるところではないだろうか。執政党から社会の隅々に至るまで、腐敗がはびこり、欲望にまみれ、気風は悪く、厚顔無恥ばかり、中国の歴史のなかでもまれに見るほどだ。これをどう治めるかは差し迫った問題である。執政党は最近、雷鋒死去五十周年記念に際し、改めて鳴り物入りで雷鋒に学ぶ運動を推し進めている。その狙いは明確だ。毛沢東時代のわずかな道徳資源の助けを借り、日々損なわれていく道徳秩序の立て直しを試みているのだ。こうした運動は執政党の歴史において数え切れないほどあるが、効果はあったのだろうか。政策決定部門は総括すべきだろう。政策決定者が自信を持っているかといえばそれは疑問であり、社会の人々の反応、評価については言うまでもない。孔子は「人を正す者はまず己を正す」と言った。これこそが執政党の直面する難題だろう。制度や法律が、内部で日々深刻化する腐敗現象を効果的に止められないとすれば、五十年前の道徳の偶像によって執政党のイメージを再生し、その規範によって社会道徳の再建を先導するということだが、どれほどの効果があるか。それは誰でも分かることではないだろうか。

道徳的説教が行き詰まったとあって、道徳を強制する仕組み、道徳の制度化を考える者が出てきた。全国人民代表大会と全国政治協商会議の開催時期に李鵬元首相の娘で中国電力国際発展有限公司会長、全国政協委員の李小琳は、公民一人ひとりを道徳的「檔案」で制約し、個々人に廉恥心を持たせるという提案を出した。もしこの提案が通れば、誰がその檔案を作り、執行し、審判するのかという制度づくりに話が及ぶが、公民の道徳を制度化し管理するのは国家の公権力のみであるということになる。このような大胆で想像力に富む提案にはネット上でさまざまな評価がされ、多くは中世の道徳裁判所を連想した。筆者の見るところ、この種の提案ができる人はきっと道徳に自信のある人で、李小琳は少なくとも自分に道徳上の問題が記録される心配はしていないはずである。執政党の道徳の系譜において雷鋒同志の苦難に耐える質素な態度は大事な点で、彼の記念館では今も、繰り返し繕った靴下やズボンが展示してある。今、この提案者は世界最高級のブランド服を身につけ、生活の贅沢ぶりが際立つ。雷鋒時代の道徳の尺度に合わないことは明らかである。だからといってこの提案者の道徳レベルを疑っているわけではない。ルイ・ヴィトン、シャネルやグッチを手放せない人が必ずしも不道徳な人ではないし、身分の高い人が一般庶民に対して道徳の手本を示せないとは限らない。仮に道徳裁判所を設立するにせよ、社会全体が道徳資源を共有し、共同の道徳的制約を受け入れるならば、やっていけないことはない。問題は、道徳規範を確立したり道徳裁判権を握ったりする機構や人が往々にしてその制度によって自らを制約しない、つまり「人を正す者必ずしも己を正さず」である点にあり、ここに執政党が長きにわたって道徳運動を推進しながらまったく効果が上がらない原因があるのではないか。

　中国の思想史を多少なりとも学んだことのある人ならば、中国が伝統的に徳治を行ってきた国家であり、周公による礼楽の制度から三千年の歴史があることは知っているだろう。この間、孔子を基として儒学がつくられ、両漢時代の経学に至って儒学思想は帝国のイデオロギーとなった。魏晋以降は玄学が流行、また仏教が盛行して儒学の道統は中断するが、宋代の理学によって儒学は再興され、明代の心性学を経て清末の康有為による今文学の提唱に至るまで、儒学は中国史に一貫しており、帝国の制度と文化に決定的な影響を与えてきた。思想史家の金観濤は儒学を中核とする中国文化の本質を三つにまとめている。

第一、道徳は中国の政治制度と社会秩序の正当性の基礎である。

第二、儒家倫理の特徴は家庭を中心とする等級秩序の道徳化と社会化である。

第三、道徳は最終的な配慮である。

儒学は徳治を強調するが、現代の法治の尺度でみれば明らかに人治と同義であり、範とすることはできない。しかし思想史研究においては現代の政治の観点から伝統的政治制度の正当性を評価してはいけない。徳治の歴史的合理性はその内在的価値に基づくのであり、金観濤の言葉を使えば、道徳の中核は「善」、善とは良きことの普遍化であり、孔子が言う「己の欲せざるところを人に施すことなかれ」や「己立てんと欲して人を立つ」である。自ら好み、できることであればこそ、他人に対して推し広げることができる、というのが道徳の普遍性であり望ましいことである。孔子にとって善に従うという道徳は各人に対する要求だが、孔子はさらに道徳を政治の基礎、統治者の行動準則とする傾向が強い。孔子が徳治を説き、仁政を説くのはすべて統治者に聴かせるためだった。論語にいう「政なる者は正なり。子、帥《ひき》いるに正しきを以てせば、孰《たれ》か敢えて正しからざらん」である。この道理は古今を通じたもので、政権を執る者が権力と資源を掌握しているならば、個人の行為は国家の行為であり、個人の徳行は国家の徳行である。したがって儒学が徳治の提唱にあたって着目するのは統治者に対する道徳の教化、道徳による制約である。孔子、孟子から董仲舒まで、書を著し説を立てるのはすべて統治者に道徳を本位とするよう教化し、徳治を実行させるためである。宋・明代の理学は心性の問題を追求し、形而上の理論構築に注目したとはいえ、最終的な落着点はやはり皇帝に対して身を修め心を養って仁政の境地に達するよう忠告することにあった。

儒学者らの苦心に比べ、漢代以来の歴代統治者はどうだったろう。彼らにとって徳治の政治理念は受け入れられるものだったが、自身に課せられる道徳上の制約には納得しなかった。所詮いかなる制約も人の心と体の欲望に対する、なくてもよい制約ということだった。儒家が提唱する「君は君たり、臣は臣たり」はもともと皇帝と臣下を互いに制約する関係を定めたものだ。臣下は皇帝に対し忠誠を示し職責を尽くす義務を履行しなくてはならず、皇帝もまた、天下に手本を示す態度が求められる。だがこうした道徳上の要求は多くの皇帝にとっては束縛にほかならず、ぜひとも取り除きたいものだった。ただ、儒学者の長きにわたる教化で徳治は文化となり、道徳による自律にはなお効力があり、臣下の忠告と諫言は皇帝に対してさまざまな程度の拘束力があった。極端にやりたい放題の統治者はどの正史においても名声を得られない。王朝が交替すれば、新王朝の旧王朝に対する評価は概ね道徳正義に基づき、旧王朝が徳を失って天下を失ったと非難し、旧王朝の暗君佞臣に道徳上の審判を下す。「殷鑑遠からず〔戒めとなる例は身近にある〕」と言うときのよりどころは道徳の得失であり、例外はない。

清朝が崩壊し、儒学の道統が尽き、徳治の正当性は近代国家建設の過程において新たな政治的合法性という資源に取って代わられた。欧米の憲政民主制度の観点から、徳治の弊害が余すところなく暴かれた。道徳教化と心性修養により統治者の行為を規定して善治を実行させ、社会をあまねく道徳化された状態にする、というやり方がすでに行き詰まったことは世界史により証明された。最高執政者の権力が道徳の制約に依拠しても専制と腐敗を防ぐことはできない。制度と法律の制約によってのみ権力を檻に入れ、限定した範囲で権力を運用することができるのである。理論上の民主・法治の制度のあり方については多くの現代の政党の間で共通認識があるにせよ、実践にはさまざまなやり方があり、道徳という手段をいかに使って力としてまとめ上げるかはなかでも重要になる。中国共産党はこの方面で特に優れていたのである。革命党というイメージで現れ、反帝・反封建を務めとし、武装闘争を手段とし、儒家の徳治仁政を含む旧文化・旧道徳に反対し、ことごとく打倒し、これらにより革命奪権の合法性を自らに与えた。しかし共産党は歴史に登場した反乱農民のように道徳を無視したり文化を蔑視したりしたのではなく、むしろ道徳が人心をまとめ、革命精神を養うのに重要であることに気づいていた。共産党員の修養を論じた劉少奇は、その目的が党員を教育し、服従させる手段であるとし、党と一心同体となることにあるとしている。これこそが道徳による、まとめ上げる働きである。ほかにも有効な方法、策略を加えることによって共産党は強力な闘争集団となり、大きな精神的力量を発揮し、軍備で劣勢だったにもかかわらず最終的に国民党に勝ち、大陸の統治権を手に入れたのである。

　毛沢東の思想上の特徴と天性の素質が共産党の政治倫理に与えた影響は深い。毛は闘争哲学を信奉し、敵対闘争は揺るぎなく、手加減せず、敵を放置して失敗した項羽のようにはならず敗走する敵を追撃して勝利を得た。党内で意見が合わない同志に対しても残酷な闘争を仕掛け、容赦なく攻撃し、党を統一した。闘争に正当性を与える毛のやり方はまず道徳上の管制高地をおさえる点にある。党外では国民党を反動派と非難、道徳的な死刑を宣告し、大衆を動員して武装闘争を進めた。党内では二つの方面から手をつけた。知識で優位を持つ相手に対しては道徳的に醜悪にする方法を採った。知識人の人格を辱め、思想改造、整風運動、「党八股〔党内の空虚な文章〕」への反対を通じて知識人の思想の尊厳を徹底的に破壊し、彼らが新たに真人間、党の人間となるよう学習させた。もう一つは、労働者農民の道徳的イメージを打ち立てたことだ。彼らの手は黒ずみ、脚には牛糞が付いているが、知識人よりはるかにきれいであるとした。こうして党内に特有の政治倫理生態がつくられた。ある評価によれば毛の「反知性主義」であり、またある見解では、格物致知の修練は不要で人はみな堯舜になれるという王陽明の心学の伝統を、毛が受け継いでいるとする。これらの見方はいずれも首肯できる。積極的な面を挙げれば、毛は確かに価値観の根本的な転換を通じて党内の思想と人間関係を立て直し、エリートを抑え、下層の人々を解放し、人的資源をまとめ、上から下まで心を一つにし、強靭なる精神的力を作り上げ、弱者でありながら強者の敵に対して勝利したのである。

　戦争の時代のこうした特殊なやり方には戦争という局面がもたらした合理性と正当性がある。両軍相まみえれば勇者、智者が勝つ。高華が著した『紅い太陽はいかにして昇ったか（紅太陽是怎様升起的）』は歴史学界での評価が高く、筆者も同意するけれども、まったく陰謀論の視点から毛を評している点には賛同できない。価値中立的立場から言えば、毛の「不道徳」なやり方抜きにして共産党が政権をとれたかどうかは疑わしいのではないだろうか。筆者が強調したいのは、毛の思想は道徳主義の特徴があり、精神力の働きを高いレベルで追求しており、毛は道徳、精神の力量が戦時のみならず平和建設時でも決定的要因となることを確信していたということだ。建国以降、執政党は少なからぬ運動を提起した。「雷鋒に学べ」「大寨に学べ」「大慶に学べ」。これらはいずれも精神の総動員であり、毛の言葉で言えば、人はなにがしかの精神が必要なのだ。当時の中国の実情は「人口が多く、基礎は弱い」というもので、経済建設をするにも物質的基礎がなく、立ち後れていた。人を励まそうにも精神を激励する仕組みを動かすしかなかったが、毛自身もまた、精神が経済建設において奇跡を生み出せると信じていた。特にいわゆる三年の自然災害の後、全産業が衰退して再建を待つしかない状況にあり、国庫は底をつき、動員できるのは道徳と精神のみであった。このとき、雷鋒のお手本に学べという運動は執政党にとって大きな意義があった。そこには多くの価値へと導く仕掛けが重なっていた。良いことをして人民に奉仕する、党のねじくぎになる、私心雑念を容赦しない、艱苦質素無欲は剛、あるいは人民に忠、党に忠、毛主席のよき戦士たれ、といったものだ。雷鋒精神に含まれるこれらの内容は、国民を貧しい現状に慣れさせ、艱苦奮闘して心から党と毛主席に従うよう鼓舞する働きがあった。だから鳴り物入りの宣伝が必要だったのであり、一人の雷鋒を死なせ、千万の雷鋒を立ち上がらせ、山を動かし海を覆す勢いで全国を席捲し、人心に浸透させなくてはならなかった。雷鋒に学ぶ運動の後、大寨や大慶も同じように運動が展開した。周恩来首相が一九六四年の政府活動報告で述べた言葉を使えば「政治掛帥〔政治を第一に〕、思想領先〔思想が先導する〕、艱苦奮闘、自力更生」であった。

　執政党が展開した道徳動員運動と打ち立てられた道徳英雄を、全国の人民はある時期までは深く信じ、正当性を確信し、革命と建設に不可欠の働きをするものと思っていた。ほとんど欠点のない道徳英雄に向き合うと、個々人は原罪感に満たされ、自身の内心で欲望の誘惑に抵抗できないのを悔い、自己批判し、摘発し合い、終わりなき世界観改造に取り組み、共産主義の新人たらんとした。しかしこのような道徳化のうるわしい情景は最終的に執政党自身の手で破壊された。雷鋒、大寨、大慶に学ぶ運動の展開から何年も経たないうちに文化大革命が起こり、全国が動乱状態に陥った。執政党内部の危機も相次ぎ、そのピークは林彪の逃亡とモンゴル・ウンドゥルハンでの墜落死であった。真相が公になると人民は驚愕のあまり、考え始めざるをえなかった。党規約に後継者と書き入れられた毛の親密な戦友が一瞬にして陰謀家、反逆者となったのである。毛の面前で万歳三唱して永遠の健康を祈り、背後では謀りごとに殺気をみなぎらせていたという信じがたい林彪事件は、毛沢東時代の政治的信用の徹底的破産を示すものだ。それまでの道徳説教はうそ偽りであったことが露わになり、道徳の偶像も打ち砕かれて再び神聖なる光輪を帯びることはなかった。やはり、すべての人々を一時騙すことや一部の人を永遠に騙し続けることはできるかもしれないが、すべての人を永遠に騙し続けることはできないのだ。

一九八〇年代に始まった中国の改革開放は途切れぬ市場化の過程であり、世俗化と脱魔術化の過程と見ることもできる。それは一つには政治的迷信を打破し、混乱を収めて正常化し、毛沢東の左傾思想遺産を一掃、闘争性の政治倫理を排除し、執政党の仕事の重点を大規模な階級闘争から経済建設へと転じることだった。もう一つは、全社会で自発的に巻き起こった脱道徳化である。人間性を解放し、経済活動を正当に評価し、市場の法則に従い、法治原則によって社会秩序を構築し、財産権を明確にし、物質的な刺激のメカニズムによって社会を進歩させることだった。市場化と世俗化の過程は全体として人間性と社会発展の法則に適うものだが、この過程では相応の制度による制約が必要となる。それは法律と道徳による制約である。これらがないままでは社会の発展には正当性がなく、正義と公平性がない。今の中国の問題は、権威主義制度がまだ憲政民主制度へと転換しておらず、法制度整備がまだ全面的な法治社会の形成に至らず、高度に政治化した道徳が失効した後にまだ公民社会の倫理が生み出されていないことにある。制度、法律、道徳による有効な制約が欠けているため、中国社会は全体的な危機に直面している。その典型的な症状は、貧富の差の拡大、社会の不公平の激化、抑えられない腐敗、道徳の地滑り的崩壊である。この全体的危機を克服するには全体的な計画が必要であり、中国の全体的な制度のあり方から危機の根本的な問題点を認識する必要があり、全体を視野に置いて中国における道徳の現状と見通しを考えなくてはならない。そこで筆者は三つの原則的意見を述べたい。

1　執政党内部の大規模な腐敗現象は国家と社会の道徳危機のすべての根源であり、国家公務員の腐敗行為は法律に違反するのみならず道徳の喪失である。権力と利益の取引は腐敗堕落をもたらす。最近失脚した高級幹部らで、ひそかに女性を囲い、夢うつつに日々を過ごしてない者があっただろうか。ひどい者になると、口先では革命歌を歌い、革命の理想を語り、人々を教育し延安精神を堅持するように装いながら、自身の子女は外国の上流階級向けの学校でただれた生活をしている。一見反米の英雄のように見え、帝国主義への義憤に満ち、敵との共存を許さないほどの者が、肝心な時になると、かの国の領事館へ駆け込んで休暇と治療に励んでいる。毛沢東時代には想像しがたく、今日の世界各国でもまれに見るものだ。政治倫理に語るべき正義がなく、羞恥の二文字はどこにもない。執政党の道徳状態は社会一般の水準を大きく下回り、人としてのもっとも基本的な道徳上の要求、例えばうそ偽りのない話をする、誠実である、信用を重んじる、といったことがすべてできないか、あるいはうまくできない。基本的な誠実さに欠けた党、政治的な正義のない党、他人を正そうとするだけで己を正そうとしない党に道徳的感化力はまったくないし、社会を主導して道徳秩序の合法性と有効性を立て直すことなどできない。

2

李小琳委員が提案する公民の道徳檔案は、もし国家公務員から率先して実施するなら試みてもいいかもしれない。だが歴史が証明する通り、執政党の道徳化運動は従来みな社会の統合を考える観点から道徳説教と道徳模範を通じて民衆にとっての手本をつくり、民衆の行動を規制し、人心を収拾し、精神を凝集して秩序をかためる効果を狙うものだった。一方で執政党自身に対しては制約に欠け、なかでも党の高級幹部に対しては何ら効力を持たない。執政党は道徳化を通じて自身の非道徳化状態からの自己修復を企てるわけだが、制度・法律の制約による保証がなければ何一つ成功しないだろう。逆に、社会には道徳の自己修復を図る能力と内在する仕組みがある。ここ数年、社会においても道徳は乱れているが、それでも最低ラインというものはあり、善悪の尺度もあり、公平正義の良識も存在する。「孫正剛事件」「郭美美事件」「小悦悦事件」からうかがえるのは、広範なネット民が高度に一致した正義感を示したことだ。四川大地震の被災者救済救難活動では道徳的責任が共有された。民営企業は慈善事業や寄付を通じて国有企業をはるかに凌ぐ情熱と配慮を示した。教育によって社会の道徳水準をさらに高める必要がある。だが執政党の道徳振興には自己教育のほかに制度の刷新が不可欠である。

3

道徳の制約が効かず、社会の道徳が崩壊し、執政党の政治倫理が腐敗する根源には、憲政民主制度と法治国家が確立されていないことがある。徳治による統治の仕組みとその道徳主義は、憲政民主と法治のない集権専制における制度のあり方で、善治を目標とする。それは民が国家の本で民衆の福祉こそ国家最大の善であるということを、少なくとも統治者に意識させることはできる。だが制度と法律による制約がないため、善治かどうかは統治者個人の教化と自覚にかかっている。明君に出会えば人民はこの上なく幸いだが、暗君であれば人民は不運と思うしかない。徳治は人治であり、人治は専制的集権によってさまざまな悪い結果を招くのを制限できない。執政者の権力腐敗と道徳の衰退は根本的には制度が均衡を失ったものと言うことができる。道徳の振興には新たな制度こそが必要なのであり、憲政民主と法治を基礎として新しい政治倫理を打ち立てなくてはならない。執政者は制度と法律による有効な制約の下であれば自ずから強力な道徳的自律をつくりあげ、己を正すことから始め、身をもって範を示し、社会に範を垂れることになるだろう。そうしなければ政治的合法性はなく、人民の唾棄する対象に成り果てるまでである。制度を新たに創造することを避けたままの道徳化運動では中国の現在の道徳的困難を抜け出すことができない。中国における道徳の展望は、中国が憲政民主と法治国家へと邁進できるかどうかにかかっている。民主的、法治的であってこそ道徳的なのである。

第十一章　革命家の勝利は何を意味するのか

――汪暉の「革命家の人格と勝利の哲学」を評す

誰がレーニン生誕を祝っているか?

二〇二〇年はロシア革命の指導者レーニンの生誕百五十周年だった。世界中でいまだに共産主義を信仰している人たちからすれば、特にロシアの共産党員にとっては、大いに記念活動を行い、全世界の共産主義のわずかな生き残りたちを再びレーニンの旗の下に参集し、そこまでしなくても十月革命の歴史的な記憶を呼び覚ますに値するタイミングだった。一年前、ロシア共産党のジュガーノフ委員長はレーニン生誕百五十周年の準備大会で演説し、レーニンの名前を偉大な十月革命、偉大な工業化、偉大な独ソ戦の勝利、偉大な宇宙事業・核均衡理論と結び付け、ロシアはソビエト時代に「最高の成果を上げ、最強の実力を築き、もっとも公平な社会政治環境を実現し、史上もっとも偉大な勝利を挙げた」と強調し、「今日においてレーニン、スターリン時代を軽視しようとする者は敗北する」と訴えた。レーニンが切り開いた共産主義の事業は必ず勝利するとの信念に基づき、ジュガーノフはこう宣言した。「レーニン生誕百五十周年の際に、勝利の旗を掲げ五月にデモを行う。これは十月革命の旗であり、レーニンの旗でもある。我々にとって非常に神聖なものだ。人民を沈黙させようとするいかなる行為も、歴史を書き換えようとする試みも徒労に終わる」(二〇一九年四月二十四日、観察者網「風聞社区」より)。

遺憾なことに、いざレーニン生誕百五十周年の年になると、思いがけず新型コロナウイルスの流行に見舞われ、盛大な祝賀行事は中止された。聞くところによると、百四十余りの国の共産党代表が参加し、レーニンの事業が現代の世界情勢においても国際性を持っていることを誇示する予定だったという。もちろん、懐疑的な人たちは、新型コロナのおかげで、レーニンの国際的な影響力の実態が世界にばれずに済んだとみなしている。なぜなら、過去のレーニン生誕記念活動では、ロシア共産党による動員は振るわず、デモと言ってもただ昔を懐かしむ老人が赤の広場を散歩するだけだったためだ。果たして中止となったイベントは、「百五十周年」という節目であっても例外となっただろうか。少なくともロシア共産党が依然として直面している苦境は、ジュガーノフ委員長が党中央を代表し「レーニンは我々の力であり、知識と旗印だ」と意気軒昂と読み上げ、特にレーニンがロシアの国家制度を救い、構築したと称賛した際、ロシアの現行の国家制度が、レーニンが創造したものを継承したのか、または背いたのかという問題を客観的に指摘しなかったことだ。二〇一五年四月、ロシアの独立系調査機関レバダ・センターが実施した「レーニンの役割」に関する世論調査によると、三分の一（三十一パーセント）がレーニンの記憶は残されていると信じていると回答したが、レーニンの路線に沿って前進していると考えている人はいなかった（調査データは、中国共産党中央対外連絡部の周力元副部長が二〇二〇年四月二十七日に『環球視野』に発表した文章から引用）。この数字は何を意味するか。こう解釈するしかない。レーニンはロシアの重要な歴史的人物として、忘れられることはなく、その功罪は人々が長期にわたり思考する価値があるものの、彼が切り開いたソビエトの道はとっくに歴史の袋小路に陥った。

　中共にとって、レーニンの名前の重要さはおそらくロシア共産党を超えているだろう。レーニンはロシアの大多数の国民から忘れ去られようとしているが、レーニンの肖像画は中国の国家の広場に高々と掲げられている。レーニン主義とマルクス主義は並び称せられて中共の指導思想およびイデオロギーとなっており、党規約に記載されているのみならず、憲法にも明記されている。レーニンの事業はロシアでは深刻に挫折したが、中国では今も脈々と続けられている。この意味では、中共こそがレーニン思想と事業の真の継承者であり、生誕百五十周年の祝賀大会は中国で実施するのが適切なはずだ。ところが奇妙なことに、中共は記念活動を計画していない。少なくとも政府系メディアはレーニン生誕百五十周年を記念する公式文章を発表せず、新華社がぱらぱらとロシア共産党の記念イベントについて伝えただけだ。こんな少しおかしなことでも、プロレタリアートからすればどうということはないが、中国の毛沢東派は看過できない。保守派の代表的サイト「烏有之郷〔ユートピア〕」は二〇二〇年四月二十三日に「今日はレーニン生誕百五十周年である。しかしながら、国内でわずかに左派系ウェブサイトが記念する文章をいくつか発表した以外に、筆者が主要メディアを何度見返しても、相応しい記念イベントはないようだ。数日前に第一回中国共産党大会が開かれた上海で、黄浦区九江路交通カードサービスセンターがレーニン交通記念カードを発行し、北京大学で、オンライン形式で「レーニン生誕百五十周年記念学術討論会」を開いただけだ。新型コロナの影響で大規模なイベントが不都合だとはいえ、レーニン生誕百五十周年という重大な日にこのレベルの記念では、レーニンを公式の開祖の一人とみなす立場として相応しくない」と報じた。烏有之郷の編集者たちはこう断言する。「今こそレーニンという刀をもう一度振り上げ、現代の修正主義の妄想を突き破り、帝国主義の鉄のカーテンを突き刺す時だ」（二〇二〇年四月二十三日、烏有之郷「静かなレーニン生誕百五十周年」より）。こんな文章を読めば、まともな人間は彼らに同情するだろう。歴史の片隅に追いやられたレーニンという刀を、神聖な武器としてさあ、掲げようとしたとき、当局から完全に無視されたのだ。これはレーニンの悲哀なのか。それともレーニンの弟子、孫弟子たちの悲哀なのか。

　では誰がレーニンを記念しているのかが問題になってくる。素朴な階級意識を持ち続けている毛沢東派は、もう一度大きな理論的ナラティブを構築しようと言う——レーニンが十月の舞台で滔々と演説したように——だがこれはもとより難しい。彼らの粗野な理論の表現力と四十年前のマルクス・レーニンの教科書の知識レベルでは、レーニンの思想を二十一世紀の時代に生まれ変わらせ、人々を魅了することなど不可能だ。もっと悲惨なのは、彼らはレーニンの魂を現実の世界に乗り移らせる道筋も方法も見つけられず、レーニンの旗を振り回して人民についてこいと呼び掛ければ、たちまちマルクスが『共産党宣言』で皮肉った「封建的社会主義」のあの場面が再現されるのだ。「人民が彼らについていくと、おしりに封建の紋章があることに気づき、大笑いして退散した」（マルクス・エンゲルス『共産党宣言』、『マルクス・エンゲルス選集』第一巻）。現代の毛沢東派が直面している苦境もマルクス時代の年寄り貴族たちと大差ない。レーニン生誕百五十周年を通じてレーニンの思想を活発化させたかったようだが、貧困な想像力や粗野な表現力、古くさい考え方にとらわれ、「レーニン同志」を新時代のインフルエンサーとして蘇らせることはできなかった。

　レーニン生誕記念が中国で寂しく終わろうとしていたとき、汪暉教授が記念した文章が突如現れた。「革命家の人格と勝利の哲学——レーニン生誕百五十周年を記念する」（四月二十二日ＳＮＳメディア「文化縦横」初出）という表題だ。おそらく周到に準備されたもので、筆者と編集者は強く期するものがあって「なぜレーニンを記念するか」という問題に挑んだのだろう。導入部分でこう記している。「二〇二〇年四月二十二日はレーニン生誕百五十周年だ。世界が新型コロナ禍にあるなかでレーニンを記念することは、特別な時代的意義と現実的意義がある」。こんな高い理論的位置づけができるのは、おそらく汪暉だけだろう。彼の大きなナラティブを語る風格を借りて言えば、中国のあらゆる左派の系譜のなかで、旧左派にしろ、毛沢東左派や新左派にしろ、中国語の言説において「レーニン同志」の魂を乗り移らせる使命を果たせるのはきっと彼一人だ。この使命は何も隠し立てする必要はなく、現代の中国の政治的ニーズのために、革命家の物語を新たに記述し直し、新たな革命家を召喚し、革命家が主導する新時代を想像する。ことの本質は、ロシアの詩人、マクシミリアン・ヴォロシンが詩のなかで言ったようなことだろう。「かつて奴隷は自由に疲れ、不満を爆発させて鎖を求めた」。

「革命家の人格」とは何か？

汪暉の著作や文章を読むのはたやすいことではない。文章の流れやロジック、レトリックの癖は、明確にしようとする主題を常に難解な言語構造に隠し、まるでヘーゲルの弁証法のようであり、あるいは中国の新左派学者に競って模倣されているスロベニア出身の哲学者ジジェクに到達しようとしているかのようだ。一体これは思想の深さを示しているのか、それとも「鎖を求める」主題を隠そうとして露呈した叙述の策略なのか。いずれにせよ、汪暉を批評するためにまずやらなければならないのは、何層にも重なった言語の皮をはがして思想の核心を取り出すことだ。豊富な引用から修飾的な「余計な言葉」を取り除き、彼の言う「革命家の人格」がレーニンおよびレーニンのような人物を再登場させる上でどのような意義があるのか見てみよう。

汪暉はまずフランスの哲学者バディウの判断を引用しつつ自身の論述を展開している。バディウは、一九一七年の十月革命から一九七六年の文化大革命の終結までに、パリ・コミューン後の第二の共産主義のシークエンスが構成されたと見る。そしてそのシークエンスの主要部分（マルクス主義、労働者運動、レーニン主義、前衛、社会主義国家）はもはや効果を失い、再度挑戦してもまったく意味をなさないと考える。この判断に限っては、バディウが述べていることはまったく正しい。ロシアの十月革命と中国の文化大革命は失敗の革命としてすでに歴史に記録されている。しかし汪暉が、バディウというフランスの過激な毛沢東主義者の言葉を引用したのは、「現代世界の政治シーンは二十世紀の社会主義実験の失敗の暗い影から完全に抜け出せていない」ことを一歩進めて証明するためではなかった。むしろ、いわゆる前衛と大規模な階級運動が失敗に終わった後、指導力の弱さ、左翼理論の戦略議論の欠如、具体的な社会の変革に沿った路線弁論の衰退を克服するため、「劣勢から主導権を得る」という二十世紀の政治遺産を再び整理し、継承する必要性を証明するためであった。このプロローグは何を意味するのか。言うまでもなく、バディウですら共産主義の第二シークエンスが終わったと認めたにもかかわらず、汪暉は「劣勢」から「党」と「国家」の主導権を獲得したレーニンの歴史的経験を学び、大いに発揚し、世界に社会主義事業を再興させることが依然として可能であり、その実現性の鍵を握るのは「革命家の人格」であると証明しようとしているのだ。

「革命家の人格」とは何か。汪暉は歴史上の多くの革命家を引用し——グラムシ、トロツキー、李大釗〔中国共産党の創設者の一人〕、魯迅ら——革命への認識を示し、このように総括している。「革命家の人格はある種の独特の力があり、社会条件や政治条件が備わっていないなかで、絶大なエネルギーで革命のプロセスを進めうる」。つまり、革命は革命家の創造である。革命が失敗しても、革命家の人格があれば、革命は依然として「劣勢」でも生産され、成功する可能性がある。こうした判断なら、バディウの共産主義革命の失敗に関する言説は、右傾化した失敗主義の深刻な誤りということになってしまうのだろうか。

「革命家の人格」はなぜ、これほどまでに超人的な力を持つのか。グラムシが汪暉に重要な啓示を与えている。グラムシにとっては、マキアヴェッリが『君主論』で構想した人民を主導して新たな国家を設立する君主は、歴史の現実には存在せず、ただの理論上の抽象的な存在であり、領袖と理想的な統率者の象徴にすぎない。なぜなら「現代の君主」あるいは「神話の君主」の力の源泉は「個人」ではなく、「政党〔党〕」にあるからだ。「政党は現代政治の魂であり」、政党の力を借りてこそ、いわゆる「迅速な手段でタイミングを逃さず即断するという歴史的な政治行動を、具体的な個人が神話のように体現することができる」。ここまで読んで、汪暉がここで話を終わらせると思ってはいけない。グラムシのロジックに沿えば、政党政治の縛りのなかで、「革命家の人格」は自由奔放な概念ではない。しかし、汪暉はグラムシと異なる部分を突出させる。すなわち、革命家の人格は政党政治の性質を超越する。こうした価値観に基づき、汪暉はここ数年、「党の国家化」「党の官僚化」「党の脱政治化」そして「党の機会主義」を一貫して批判しているのだ。汪暉に言わせれば、本当の意味での党はすでに前段階で終結している。ロシア革命と中国革命から次のように証明する。「神話のようにその使命を果たした個人が政党の領袖であり、政党体制そのものではあり得ない。多くの歴史の重大な局面で、レーニン、毛沢東ら革命の領袖は、常に自身の政党およびその主導路線を対立状態に置き、持続的な、時に残酷な理論と政治闘争を通じて党内の主導権を握った」。政党と領袖のつかず離れずの関係性をさらに明確にするため、汪暉はネパールとベネズエラという二つの左翼政党政権国家と政治運動を対比させる。前者は成熟した政党を持つが、強力な領袖がおらず、後者は強力な領袖（チャベス）がいるが、成熟した政党がないという。政党と領袖の異なる政治関係は、汪暉いわく、領袖、政党、人民の間に有機的な連携が形成されておらず、三者に必要な張力と相互作用が欠如していることを意味する。こうした状況は毛沢東時代にも出現した。毛は晩年、政党体制全体を自身と対立するものとし、「ある特定の時期や特定の重大局面に、革命家が、党の領袖であっても党の体制との間に深刻な緊張、対立、衝突があり得ることを示した」。

政党〔党〕と革命家の間に深刻な緊張、対立および衝突があるなら、革命家の人格が示す超人的パワーは必ずしも政党のロジックだけで説明することはできなくなる。革命家の人格が神話のような影響力を発揮するのには独特のロジックがある。汪暉の叙述から、おおむね次の数点に総括できる。

第一に、革命家は革命家である。これは、トロツキーがロシアの女性革命家、ザスーリチに与えた評価を、汪暉が引用したものだ。トロツキーは、革命家という概念がザスーリチにとり、階級を超越した独立した意義があったとみなした。彼女は無産階級の革命家でも、資産階級の革命家でもなく、革命家そのものだった。汪暉はまた、李大釗の考えも引用している。李大釗はレーニンと孫文に共通する部分があるとみた。彼らの革命家としての人格は、階級の利益範囲を超えるエネルギーがあった。

第二に、革命家は永遠に闘争している。これが、汪暉の関連論述に対する筆者の総括だ。汪暉は、連綿と続く理論闘争と路線闘争はレーニンの指導者としての特徴を体現していると考え、レーニンの言葉を引用している。「党内闘争が党に力と怒りを与える。党自体が曖昧模糊としているのは、党の弱さの最大の証拠だ。党は自身を粛清してこそ強固になる」。そしてまた、レーニンの党内論敵の「長いリスト」を示した。バーンスタイン、プレハーノフ、ポートレソフ、マスロフ、ジノヴィエフ、カウツキー、ローゼンベルグ、トロツキー、ブハーリン、スターリン。

第三に、革命家の主導権は、「統治」と「精神・道徳の指導」に体現される。これは、グラムシの主導権思想に対する汪暉の総括だ。党の主導権は政権奪取によってのみ体現されるのではなく、「前衛党」が、「精神・道徳の指導」および文化指導権を奪取するプロセスで体現され、「革命の領袖もこの過程で出現し、苛烈な理論闘争を通じて自己の目標、綱領、戦略を新たに確立し、政党の再建という政治的な役割を果たす」。つまるところ、革命家は政治の領袖となるほか、思想の領袖にもならなければならず、道、政、学を統べる三統合一を果たさなければならないという。

第四に、革命家の人格の「第二の天性」だ。これはトロツキーのレーニンへの評価を引用したものだ。トロツキーによれば、レーニンが歴史上の偉大な革命家たり得たのは、情勢を総合的に分析し把握する際、常に自身が描く具体的なシチュエーションにおける決定的な「段階」を念頭においていたためだ。言い換えれば、これこそが革命家の超越した、ある種の「時代の判断力」であり、どの段階が時代の中心なのか、時代を決定づける主成分、発展の方向性を掌握しているのだ。こうした「時代の判断力」を持っていたからこそ、レーニンは世界帝国主義時代の「ウィークポイント」から「国家における社会主義の初勝利」への突破口を見つけることができた。毛に引き付けてみれば、中国革命の勝利は、毛が最初に中国の「ウィークポイント」——貧困な辺境地域に武装勢力が割拠する局面——に目を付けたことが決め手となった。汪暉はここで、革命家の「第二の天性」は抽象的な国際主義ではなく、「強い民族性」に基づいているとあえて補足している。これにより、ロシア革命と中国革命が、マルクスが主張する国際主義に反しているという見方に弁護を加えたのだ。

第五に、革命家は永遠に革命家であり、革命家は失敗を恐れたことがない。これは魯讯と李大釗の見方を引用したものだ。魯迅は孫文を「永遠の革命家」とみなしていた。「この世に生を受けたことが革命であり、失敗しても革命である」。「彼は全体的な、永遠の革命家だ。何をやったってすべて革命なのだ。後世の人があら探しをしても、冷遇しても、結局すべて革命なのだ」。李大釗も同じだった。彼はレーニンと孫文はいずれも失敗を恐れない革命家と考えていた。革命、失敗、再革命、再失敗、勝利するまで——これは汪暉が誰かの描いた革命家の道徳的イメージを借用したのか、それとも自身が描くユートピアなのか。

グラムシ、ザスーリチ、トロツキーから李大釗、魯迅まで、汪暉は歴史上に散らばったこれらの人物の著作の革命家に関する片言隻句を拾い集め、革命家の人格に関するグランドナラティブを熱心に描き出した。これは二十一世紀の革命家崇拝だ。革命家の人格を持つ領袖——非凡なパワーを持ち、階級や党派の束縛を受けず、長期にわたる党内闘争によって自身の主導権——すなわち、政治統治から精神と道徳の主導権を握る。彼らは鋭敏で正確な「時代の判断力」を持ち、世界システムがもっとも傷つき、歴史が瀬戸際にあるときに「瞬発的に」想像力と主体性を発揮し、革命が下火になれば新たな革命を動員し、革命が徹底的に失敗すれば新たな革命を想像し、革命が革命家の永遠の使命となり、革命家は永遠に道半ばにある。こうしたほとんど革命神話に近いものを打ち出したのは、かつて勝利、あるいは失敗した革命家を弁護するためだけではあるまい。革命の遺産がほとんどすべての文明国家で総括されたなか、レーニンの故郷であり十月革命の発生地のロシアであっても、ジュガーノフ委員長を代表とする共産党員が革命家の役割を演じ続けられるだろうか。二十一世紀という時代に、革命家の人格を一体誰の身に乗り移らせることができるのだろうか。

「勝利の哲学」とは何か？

革命家の人格が体現する非凡な能力と尋常ならざる精神状態はどのような哲学が土台になっているのだろうか。汪暉は「勝利の哲学」と呼び、こう説明している。「「勝利の哲学」は自身を集団闘争に埋没させて生まれた歴史的思考で、革命を主体とする戦略思考である。犠牲や悲劇を、勝利を収める行動綱領のなかに位置づけることにより、五四運動以降の文学や思想の領域にある、一種の寂寞感、虚無、落胆、手が付けられない疲労感などの要素を徹底的に排除する考えだ。「勝利の哲学」は集団闘争の残酷で悲壮な歴史に根ざしており、失敗の局面で勝利への転換を模索する戦略的思考だ。失敗は成功の母であるのみならず、「勝利の哲学」理論の出発点でもある。失敗からスタートすることは、苦境から「ウィークポイント」を再認識し、敵を抑え勝利する戦略と策略を模索し、新たな情勢をつくり出す過程で敵味方関係の再構築を進める。この過程は事実上、自己と主体の再構築にほかならない」。

「勝利の哲学」に関する汪暉の以上の解釈は、これだけを見れば「失敗は成功の元」ということわざを、躍動感を持って描写したにすぎない。深遠な表現で装飾されているが、前後の文脈から、実際は「ロシアのコンテクスト」を「中国のコンテクスト」に置き換えたものだ――レーニンから毛へ、そして中国へと。「なぜレーニンを記念するか」という問題提起の真意は、一時的な思想的回想の旅ではなく、革命史観を再定義・再解釈し、革命家の人格がもたらす「新たな政治、経済、社会体制の可能性」を具体的に模索しようとするものだ。こうした新たな可能性を切実に必要としているのが新たな哲学であり、それこそが「勝利の哲学」というわけだ。

「勝利の哲学」がまず直面する問題は、革命家が歴史的に経験してきたさまざまな失敗、特に挽回不可能な失敗だ。この点は汪暉も歴史的事実として認めている。レーニンは「革命的行動者だが、彼の一連の政策転換は、失敗と勝利――特に失敗――が交錯するなかで起きた」。ただ興味深いことに、汪暉はレーニンの事業の失敗の真の要因を模索しようとはしない。ただ「失敗」の性質を再解釈し、特にいわゆる「勝利の哲学」のロジックに沿って解釈し、自分の言葉でこう述べている。「歴史学者や哲学者、悲観的な観察者が失敗を起点に二十世紀を振り返るとき、世紀の概念と同時に生まれ、発展し、変転した失敗と勝利に関するまったく新しい理解についても考えるべきではないだろうか」。それでは、汪暉が失敗と勝利についてどのようにまっさらな理解を加えたのか見てみよう。

「勝利の哲学」を語るとき、汪暉は論拠とする歴史的事実をロシアではなく中国に見出している。おそらく、ソ連体制の崩壊という二十世紀最大の歴史的事件を無視できないためだろう。ソ連解体が、レーニンが切り開いたソビエト事業の完全な失敗であることは疑うまでもない。「勝利の哲学」のロジックを用いてこの失敗を再定義し、勝利の起点として描くのは、けっして理論上簡単に解決できることではない。一方、中国革命はロシア革命を継承し、今もまだ革命の軌道上にあり、「勝利の哲学」の現実的な根拠としては理想的な材料だ。そのため、汪暉は「中国革命は失敗と勝利において示唆に富んでおり」、その重要な成果は、魯迅の「反抗と絶望の文学」と毛沢東の「勝利から勝利に向かう哲学」だとしている。汪暉によれば、この二つは「勝利の哲学」が抱える、中国革命の進展における希望と絶望、失敗と勝利に関する文学・哲学的な解釈なのだという。

なぜ魯迅の「反抗と絶望の文学」が「勝利の哲学」の文学的テクストなのだろうか。汪暉の理解では、魯迅は楽観主義文学を拒絶していた。楽観文学の誤りは、失敗の境遇への分析をあきらめ、希望を「勝利の必然、あるいは抽象的な未来の延長線上に」託し、「「偽り」で「希望」を埋没させることで「絶望」の真理を証明し、「反抗と絶望」が抱える未来の次元を寸断することにある」。「「希望の文学」「楽観の文学」は幻想であり、「反抗と絶望の文学」「勝利の哲学」こそが行動的だ」。こんな文章を読むのは骨が折れる。暗喩的な表現を分かりやすくすれば、大意は次の通りだ。「反抗と絶望の文学」は絶望から希望を見出す。一方、「勝利の哲学」は失敗から勝利を見出す。絶望は希望よりも重要で、失敗は勝利よりも重要なのだ。

汪暉によれば、中国革命は「勝利の哲学」のもっとも有力な証明であり、もっとも成功した実践だ。毛が戦争中に記した「中国の紅色政権はなぜ存在しうるか」「井岡山闘争」「星のような火も、野原を焼くことができる」などの文書が、「勝利の哲学」の誕生なのだという。革命に勝利したのちに二つのロジックが生まれた。すなわち、「帝国主義のロジック」と「人民のロジック」だ。前者は「破壊、失敗、再破壊、再失敗」で、後者は「闘争、失敗、再闘争、再失敗、再闘争、勝利するまで」なのだという。よって、汪暉はこう考える。「失敗を判断する尺度は失敗そのものではなく、闘争のロジックが継続して存在しているかどうか」「「勝利」は最終結果ではなく、失敗に圧倒されないよう奮闘し続けるプロセスそのもの」「「勝利の哲学」が楽観的なのは、一貫して弁証法的理解で苦難を捉え、その理解に基づく戦略的行動と結びつけるためだ」。

「勝利の哲学」によれば、革命の過程で直面する失敗や挫折、動揺は革命が最終的には勝利に向かうまでの曲折にすぎない。これも汪暉が特に強調している点だ。永遠の革命家とは、持続的失敗によって定義される。つまり「勝利の哲学」とは失敗しない哲学なのか。こうした勝利の理論が通用するなら、ソ連体制の崩壊もレーニンの事業の失敗とは限らないことを意味することになる。汪暉が想像する共産主義の長い道のりのなかで、二十世紀の社会主義実験の失敗を新たに捉え直せるだけでなく――失敗ではなく、勝利に向かう失敗なのだという――、二十一世紀における社会主義事業の復興という中国の必勝の信念をより強固にすることが可能となる。汪暉は理論の辻褄を合わせようともしない。魯迅の言葉を借りて「楽観主義の文学」や「希望の文学」を批判し、「希望」と「楽観」を「勝利の哲学」から排除しておきながら、「勝利は勝利に向かう」とか「前途は明るく、道は曲折している」といった楽観主義の文脈を堅持している。問題はこうした楽観主義の文脈にどれほど真実味があるかだ。

誰が「勝利の哲学」を実現できるか。言うまでもなく、これは革命家の任務だ。汪暉によれば、「革命家が体現しているのはまさに「反抗・絶望」と「勝利に向かう」理論の人格化」である。汪暉はグラムシの革命家に対する次のような評価を称賛している。革命家は確かに「神話上の人物」のようであり、神話のように歴史を一変させる。永遠に革命家で、失敗を恐れない革命家であるため、不眠不休の闘争精神が大いなるエネルギーを与え、不屈の精神で未来を探り当て、失敗の局面や敵対勢力との力の差から絶えず歴史を再構築する。これにより、汪暉の最後の解釈を理解するのは難しくない。彼が二十世紀の政治遺産の一つである革命家の人格の問題を改めて提起したのは、決して個人崇拝や個人の役割を主張するためではなく、「ポスト革命」と「ポスト政党」の時代に、政党政治を中心とする政治体制が危機に陥るなか、彼が選んだのは革命家の人格を有する「神話のような人物」の再来を訴えることだった。

汪暉は革命家の人格の神話のような役割を繰り返す際、「人民」の存在を忘れていない。「勝利の哲学は人民およびその意志の貫徹を信条としている」と鼻息荒く説いている。ただ人民と革命家の関係をどのような方法で示すべきか。革命家の神話のような役割は、人民の特別な認可を得る必要があるのか。革命家の絶え間ない闘争は、人民に公平で合理的な世界を提供し得るか。これらは汪暉にとっては問題にはならないようだ。なぜなら、革命家と人民はもとより同一であり、革命家の人格にあふれる政治的領袖が、自身の政党を敵に回せるのは、領袖と人民が共同体であるためだという。毛が文化大革命で全党体制に挑戦し、人民と共にあると訴えたことは、汪暉から言わせれば象徴的な意義がある。毛の行為は「革命家の人格を持った領袖（領袖とは限らないが）が党を刷新し、党と人民の関係を再構築する政治的な力となる」ことを体現したのだという。こうして見ると、革命家の神話と人民の神話は同一のものであり、革命家が党の領袖か国家の統治者の身分で出現したとき、「人民」の神話性はカギ括弧付きの抽象的存在となり、あるいは「人民」の神話は革命家の神話の補強にすぎないと言える。実際、汪暉の言う、いわゆる「領袖―政党―人民間の密接な連携と互いに刺激し合う積極的な関係」という状況は、国際共産主義運動の歴史上存在したことがなく、「革命家の人格」と「勝利の哲学」を裏書きする資格を人民が持ったことはないのだ。

二十世紀は革命の時代だ。正確に言えば、社会主義革命の時代だ。レーニンが十月革命の勝利を率いて以降、半世紀の間に社会主義革命はロシアから世界各地に広がり、戦後、ソ連を中心とする東側の社会主義陣営が形成され、また中国、朝鮮、ベトナム、キューバ、アフリカ、南米などの多くの国家で壮大な社会主義革命運動が起こり、社会主義革命を職業とする革命家の群れが誕生した。こうした革命家の系譜に、レーニン、スターリン、毛沢東、チトー、ウルブリヒト、ホーチミン、金日成、カストロ、そして第三世界に次々と現れた社会主義の領袖たちがいる。グラムシの表現に従えば、彼らは党と国家の主導権を奪取したことで、勝利の革命家であり、自国の革命のプロセスと革命後の制度建設を主導し続けた。汪暉が指摘した通り、彼らは強烈な革命精神と「革命家の人格」、常人離れした決断力と神話のようなエネルギーを持ち、永遠の革命家で、失敗を恐れぬ革命家だと称賛しても言い過ぎではない。ただ二十世紀を生きた人々は同時に大小の革命家が主導した社会主義革命の終焉や神話の崩壊も目撃してきた。人民から仰ぎ見られていた革命家が神殿から引きずり下ろされるのさえ見てきた。こうした巨大な歴史的転換——社会主義の栄枯盛衰——を目の当たりにしながら、汪暉は「勝利の哲学」を打ち出し、欧州の左翼世界に漂う失敗主義の考えから抜け出し、「革命家の人格」を通じて新たな革命家を呼び出し、救いようのない政党政治を救い出そうと試みている。気持ちは分かるが、問題はこのような新たな革命の叙述が本当に二十世紀の社会主義革命の歴史を再定義・再解釈しうるのか。

ソ連解体の前に、これほどの巨大な赤色帝国および従属国が一瞬にして崩れると予測できた者はいなかった。前代未聞の歴史的情景に身を置き、どんなに厳粛な歴史学者でも強大に見えた国家機構が自壊した原因は一体何かと問わざるを得なかった。「なぜ失敗したのか」が最初の問いになるのは自然の流れだ。ところが、汪暉の手にかかると、「なぜ失敗したのか」という問題は「果たして失敗なのか」という問題にすり替わる。彼の「勝利の哲学」に従えば、二十世紀の社会主義実験の失敗は必ずしもレーニンが切り開いた十月革命の失敗ではなく、ソビエトの制度がロシアで跡形もなく消滅したとしても、共産主義の長い道のりは中国において脈々と継続している。俗に言われる通り、「社会主義だけが中国を救える」が「中国だけが社会主義を救える」に変わったのだ。汪暉からすれば、二十世紀の社会主義革命の遺産は継承に値する。この遺産はけっして失敗と定義してはならず、むしろ最終的に勝利に向かう革命の起点とみなすべきだという。

　失敗を勝利と演繹する。新たな理論を展開する策略としてだめだというわけではないが、厳粛な歴史研究との関係はどうなるのか。まさか「勝利の哲学」理論の下では、歴史上確実に失敗したケースもなかったことにされるとでもいうのか。実際、十月革命の歴史的教訓への総括や反省、ソビエト制度の失敗の研究は、早くもソ連解体の瞬間から、しかもソ連共産党内部で最初に展開されていたのだ。汪暉がトロツキーの言葉を繰り返し引用してレーニンの革命家の人格を証明するなら、なぜトロツキーが一九三六年に執筆した著作『裏切られた革命』を参照しないのか。トロツキーはレーニンの戦友、そしてソ連赤軍の創始者として、疑うまでもなく徹底した革命家であり、彼の革命家の人格はレーニンにも引けを取らない。レーニンがトロツキーを後継者にしようとしたこともあったほどだ。しかし残酷な党内闘争により――もとより、汪暉にとって党内闘争は革命家の人格を育成する過程だそうだが――トロツキーはスターリンに敗れ、海外に亡命し最後は非業の死を遂げた。レーニンと関わり、党内で歴史的地位を有するトロツキーはボリシェビキの変質や堕落に胸を痛め、深く反省していた。著書で「ボリシェビキは十月革命の勝利を確かなものにしようとしていた。この党がソビエト国家をつくり、その屋台骨となった。党の堕落こそが、国家の官僚化の原因であり、結果である」と明記している（トロツキー『裏切られた革命』電子版、何偉訳、向青、林広厦校訂、二〇〇八年、三八頁）。別のレーニンの戦友であり、革命家のブハーリンは「（自身を処刑しようとする）プロレタリアの斧」に直面した際、沈痛な心持ちでこう記した。「もはや住民もなければ階級もない（かつてあったとすれば）。彼らの生活は我々のソビエトの天国での生活よりも苦難に満ちている」（アレクサンドル・ヤコブレフ著『靄——ロシア百年の憂慮録』述弢訳、社会科学文献出版社、二〇一三年、扉頁）。

党の指導者がソビエト制度の深刻な弊害を反省し始めただけでなく、パブロフとゴーリキーといった著名な科学者や文学者も制度に対する厳しい不満を表明した。パブロフは一九三六年にソ連政府に宛てた手紙で「世界革命を信じているようだが、徒労であり無益だ。あなた方が文明世界で広めているのは革命ではない。ファシズムだ。あなた方の革命の前にはファシズムもなかった」（同書、九一頁）。ゴーリキーは十月革命に勝利したばかりの時に、すでにソビエト政権の言論の自由への深刻な侵害に気づいていた。雑誌『祖国のために』に発表した文章で「ソビエト政権は勝手気ままで恥知らずにも、出版と言論の自由を弄び、言論の自由と出版の自由の中身をこっそりとすり替えた」と記している（同書、一〇九頁）。

十月革命で樹立されたいわゆる労働者の国家とプロレタリア政権は、瞬時に独裁機関と官僚機構に変質した。レーニン率いる革命家が政権樹立前に考えていたソビエト政権の性質に対する基本的な構想は完全に変容した。ゴルバチョフ時代にソ連共産党中央宣伝部長を務めたアレクサンドル・ヤコブレフは著書『靄——ロシア百年の憂慮録』で、一九一八年八月三十一日の新聞『プラウダ』に掲載された秘密警察「反革命・サボタージュ取り締まり全ロシア非常委員会」（通称チェーカー）の初代トップ、ジェルジンスキーの言葉を引用している。「今後、憎しみと復讐の歌が労働者階級の賛歌となる」。ジェルジンスキーは言う。ボリシェビキは、憎しみと復讐を牽引・指導する歴史的な使命を負っている。この思想の下で、赤色ロシアは壮大な恐怖闘争の時代に突入し、革命から最初の三日間で当局の三大戦略綱領を宣言した。「憎しみ綱領」「復讐綱領」と「人民の敵綱領」である。立憲民主党はソビエト政権により直ちに大衆の敵との審判が下された。ジェルジンスキーは一九一八年八月に発表した公開書簡で「労働者階級よ、大衆の恐怖によって反革命の邪悪な勢力を壊滅せよ！　ソビエト政権の宣伝に少しでも反対する者たちは、即刻逮捕し、集中キャンプにぶち込むと労働者階級の敵に思い知らせよ！」と訴えた（同書、九三頁）。ジノビエフは、ソビエト政権が「労働者階級」の名目で欲しいままに国家による恐怖をおおっぴらに押しつける行為を「社会主義人道主義」と呼んだ。一九一八年九月に「敵との闘争を順調に進めるため、独自の社会主義人道主義を持つべきだ。ソビエト政権の統治下にいる一億人のロシア国民のうち九千万人をわが方に引き付けなければならない。残りについて言うべきことはない。除去せよ」（同書、九三頁）。これはレーニンの主張でもある。レーニンは一九一八年一月に『競争をどう組織するか？』という文章で「社会主義の金科玉条を貫徹するにはたくさんの方法がある」と記した。そのうちの一つの方法は「十分の一を、ぶらぶらして働かない罪で処刑する」のだという（同書、九四頁）。

　ロシアの十月革命の発動から政権奪取までの歴史を振り返ると、ボリシェビキの革命家は確かに汪暉が総括したように、一人ひとりが「革命家の人格」や革命への強い情熱を持っていた。ロシアの作家、ロマン・グリーは、ボリシェビキの革命家が敵との闘争で見せた残酷さや無情さと決断は、フランス革命のジャコバン派、スペインの宗教裁判、そしてあらゆる反動派の恐怖をはるかに超えていると観察した。そのため、これらの前代未聞の革命家を「十月のフーシェ」と呼んだ（一七四六〜一七九五、フランス革命の過激主義活動家、革命法廷の検事。残酷さで知られ、革命裁判所が一新された後に処刑された）。ボリシェビキの革命家がこれほどまでに革命のエネルギーを発揮できたのは、確かに汪暉によるもう一つの総括の通り、領袖―政党―人民の間にある種の緊密な結び付き、または相互に作用し合う能動的な関係が形成されていたためでもあった。領袖の責任を負った革命家は、レーニン、トロツキー、ジノビエフ、レフ・カーメネフ、ブハーリンからスターリンに至るまで、ボリシェビキによって革命の意志を貫徹し、革命の行動に変えていった。同時に、彼らは党の動員、組織、参与、具体的な運用を通じて社会の底辺から強大なナショナリズムの力を刺激し、「烏合の衆」を感化し、政党に組み入れ、「人民大衆」の歴史的な役割をつくり出していった。そのため、汪暉が極力継承しようとしている二十世紀の社会主義革命の遺産において、革命家は決定的な役割を果たし、レーニンらの革命家がいなければ、そして彼らが立ち上げたボリシェビキがなければ、多くの人が十月革命に参加することはあり得ず、彼らが共に樹立したソビエト政権も存在しなかったということになる。

仮に領袖―党―人民の緊密な関係と相互作用が保たれ、ボトムアップ型のある種の権限譲渡と権力の監視という関係、人民が認可・監視する政党、政党選挙で選ばれた党の領袖がつくり出されていれば、十月革命およびソビエト政権はもしかすると最終的には失敗に向かわなかったかもしれない。トロツキーはボリシェビキの堕落を顧みて、明確に指摘した。「党への反対を禁じて以降、派閥も禁じた。派閥を禁じた結果、けっして誤ることなどあり得ない指導者たちと異なる意見は一切禁止された。警察の手によって党内一致をつくり出し、官僚は悪の限りを働いても処罰されず、これらのすべてが好き勝手な権力執行と腐敗の源泉となった」（トロツキー『裏切られた革命』電子版、四二頁）。このため、現実の領袖―政党―人民の関係では、領袖は政党を凌駕し、いかなる権力上の束縛も受けず、例外なく独裁者ひいては暴君となった。また政党は人民の上に君臨したため、例外なく腐敗した官僚機構に変容した。人民だけが抽象的な存在として、名目ばかりの国家の主となった。

汪暉は「革命家の人格」を神格化する際、革命家が行った闘争の事業までも神格化している。革命家は「残酷な理論・政治闘争」を通じて党内の主導権を獲得し、そのことで「闘争哲学」の正統性が与えられるとし、さらには革命家のためにある種の「闘争の美学」までつくり出そうとしている——闘争のなかに尋常ならざる快感と美的センスを見出す。まさか汪暉はソ連の大粛清の歴史を知らないのか。この歴史は幾千の人たちの血と生命によって刻まれてきた。そのなかにはもちろん、レーニンの革命同志も含まれる。十月革命で誕生した政治局委員のうち、一九三六年まで残っていたのはスターリンただ一人だった。レーニンの遺言で言及された六人のうち、スターリンを除く五人——トロツキー、ジノビエフ、レフ・カーメネフ、ブハーリン、ピャタコフ——はすべて三度の審理を経て処刑か暗殺されている。キーロフはスターリンに引き立てられた政治盟友だったが、党内で声望が高まると、最終的にはスターリンによる暗殺から逃れることはできなかった。トハチェフスキー元帥を含む赤軍の将軍の多くは秘密法廷で反逆罪に問われ、銃殺された。一九三四年のソ連共産党第十七回党大会で選ばれた百三十九人の中央委員のうち、八十九人が逮捕、銃殺された。千九百六十六人の党代表のうち千百八人は「消された」。不完全な統計によれば、百万人単位の労働者、農民、軍人、知識人、芸術家、科学者、作家が大粛清のなかで非業の死を遂げた。ブハーリンは服役前、指導者の未来の世代に向けてこんな言葉を残した。「この世を去らなければならない。私はプロレタリアの斧の前にこうべを垂れるのではない。プロレタリアの斧は無情だが、純血でもあるはずだ。私は非道な機械の前では無力だ。この機械は中世の方法を用い、強大な力を持ち、組織的に大量の中傷をでっち上げる。彼らの行動は非常に断固たるもので、自信に満ちている」。ブハーリンは言う。「これらの「万能の機構」はあらゆる中央委員や党員を反逆者、テロリスト、暗殺者、スパイに仕立て上げる。スターリンが疑いを持てば、この機械は即刻その証拠を見つけ出すのだ」。そして、未来の指導者に呼び掛ける。「歴史が君たちに与えた使命は、ショッキングに入り組んださまざまな犯罪を解きほぐすことだ。

この恐ろしい日々のなかで、この乱れは収拾がつかなくなり、炎のように燃え広がり、我々の党は窒息状態だ」（ブハーリン『未来の世代の党の指導者に宛てた手紙』百度文庫）。

ブハーリンの訴えは、大粛清から七十年後に返答を得た。二〇〇七年十月三十日、ロシアのプーチン大統領は大粛清の記念地であるモスクワ南郊のブトヴォ射撃場を訪れ、スターリンの犠牲者に哀悼を捧げた。プーチン氏は「ようやく、すべての人がこの民族の悲劇を認識する時が訪れた。この歴史的教訓を永遠に胸に刻み、二度と繰り返してはならない」と述べた（『鳳凰週刊』、二〇〇八年一月十五日）。

革命家同士の残酷な殺害やボリシェビキ内部の無情な闘争は、国際共産主義運動の歴史上もっとも血なまぐさい一頁だ。社会主義の看板を掲げるすべての国でこうした悲劇が起きた。まさかこれが、汪暉の指摘する「連綿と続く理論闘争と路線闘争のなかで浮かび上がる革命家の人格固有の指導スタイル」とでもいうのか。必ず党内闘争を通じて党の力と活気を増加させなければならないのか。あるいはそれをやってこそ、革命家は政党の自己改革や政党と人民の骨肉の関係を再構築できるというのか。トロツキーは「理論とはいつでも現実と交換できる小切手ではない。理論が誤りだと証明されれば、必ずその欠陥を改めるか補足修正しなければならない」と述べていた（トロツキー『裏切られた革命』電子版、四三頁）。汪暉の「勝利の哲学」はまさにこの「理論の小切手」だ。歴史が支払った大きな代償をまったく顧みず、再び現実と交換しようとしている。人々が革命家同士および革命家と人民の間の闘争の歴史を徹底的に清算するよう求めているのに、汪暉はこれらが二十世紀の社会主義革命実験の継承すべき歴史的遺産だとみなす。

革命家の勝利はなにを意味するか。革命家の人格を持つ政治領袖が政党の絶対的な指導力を得ることか。それとも革命家が絶え間ない党内の理論闘争と政治闘争を通じて自身の主導権を握ることか。

革命家が失敗を恐れず、失敗から最終的な勝利に向かうことか。それとも革命家が「人民」の支持があるため、天下無敵の力を持つことか。汪暉はこれらの問題に肯定的な回答を導こうと試みる。「革命家の人格」と「勝利の哲学」を詳述しながら、現状のどうすべきか揺れている状態に政治決断を下すような、革命家の人格の再来を期待している——つまり人民の新たな救世主を召喚しようというのか。

歴史は汪暉の手によって新たに書き換えられる。ポストモダンの歴史学観によれば、歴史研究の分野に普遍的に認められた分析形式はなく、発見を共有する言語もなく、発見に用いられた真理を総括し実証する技術もない。そのため、汪暉はまったく自身の「勝利の哲学」の基準により、二十世紀の社会主義実験の失敗の歴史を、二十一世紀に向けた勝利の歴史として新たに解釈した。このプロセスで、革命家と人民の血に染められた歴史の章は、汪暉によって洗い清められてしまった。これは彼の歴史学者としての特権だ。しかし歴史の「真実」は歴史学者の文書の「真実」よりもはるかに重いはずで、歴史的事実は永遠に歴史研究者に対する強固な抑止力となる。汪暉はレーニンの魂を現実に蘇らせるため、十月革命やソビエトの歴史を新たに定義・解釈し、領袖と人民の同一性を新たに想像するだろう。しかし人民が永遠に抽象的な存在として革命家の人格の救世主の役割を証明し続けるはずがない。人民は最終的に歴史の重大局面で姿を現すのである。幾千もの人々が共に偉大な事業に参加したと言っておきながら、崩壊時になぜ誰ひとりとして「ソ連共産党を救うために」立ち上がらなかったのか。これこそが歴史的な問いである。汪暉の回答を期待したい。

第十二章　汪暉と「ハイデガーの時」

「革命家の勝利は何を意味するのか――汪暉の「革命家の人格と勝利の哲学」を評す」という筆者の文章はメディアで発表されると広く注目を集め、そのうちの一つのバージョンは二十六万もの閲読数を得た。これは批判対象が著名な汪暉教授だったからかもしれない。彼は中国の新左派の系譜できわめて重要な地位を占めている。以前にも汪暉教授への批判が起きている。「読書評奨」事件から盗作告発まで、汪暉の学問水準と職業倫理に対する人々の論議を巻き起こす出来事があった。今回、彼がレーニン生誕百五十周年を記念して発表した文章「革命家の人格と勝利の哲学」は、そもそも国内にレーニンを記念する声がほとんど上がっていないなかで無視しても構わなかったのだが、筆者の関心を喚起したのは、これが汪暉の思想的懐旧の旅などではなかったからだ。それはレーニン生誕記念の名を借り、中国が今「何をなすべきか」という混迷の時にあたり、指導者に対して革命家の人格とその勝利についての理論試案を提供することを狙ったものと筆者には思われた。

　歴史上、これまでもさまざまな形で、帝位に就くよう勧めたり忠誠を誓ったりする臣下の書が存在するが、そこに汪暉は、皇帝を讃える最新版テキストを加えた。これは言わせてもらえば、ハイデガーがフライブルク大学学長の時に語った「総統自身が、総統本人が、今日のドイツ、未来のドイツの現実であり、その法則である」という言葉の再現にほかならない。

　汪暉の学術能力はハイデガーと比べるべくもないが、学術能力の差はそれぞれの国家と歴史のなかで確固たる国家主義者となることを妨げるものではない。彼らが国家の最高指導者に対して同様の態度と立場をとり、相応の理論上の反応をしたということだ。ハイデガーは実存主義哲学と現象学の大家で、数多くの哲学史家から「二十世紀においてもっとも力量があり影響の大きい哲学者」と広く認められている。彼は生涯にわたり思惟の絶対性と哲学の純粋性の追求に力を注ぎ、自らの哲学綱領を社会変革の綱領に転じさせることを拒んだ。彼は、その思惟が一年以内に投げ売りされないよう守るためには三百年でもその思惟を発揮させるのを待つべきだと考えた。ところが一九三三年、ハイデガーがフライブルク大学の学長に就任した際、一哲学者としてあるべき立場、そして思惟が求める現実への「沈黙」や慎重な態度から完全に外れた。彼はその年のヒトラー首相就任をドイツの「偉大にして荘厳なる夜明け」とみなしたのである。

ハイデガーがナチスに巻き込まれたのは偶然の間違いではないというのが多くの研究者の見解である。これはドイツ哲学にヘーゲル以来一貫して存在する英雄崇拝コンプレックスと国家主義的傾向が関係していると筆者はみている。国家理性は理性の発展の最高段階で、国家の普遍性の領域においてのみ家族と市民社会の特殊性を克服、超越できるというのがヘーゲルの考え方である。だが国家理性は当時のプロイセン君主が体現するものではなかった。ヘーゲルは「世界精神」と「世界史」の発展という観点に基づき、一八〇六年にナポレオン率いるフランス軍がイエナでプロイセン軍を破った時を「歴史の終結」とみなした。それは世界史の最高段階であり、フランスとナポレオンを現代史の始まりとみなし、彼の祖国プロイセンは象徴的な意味でゲルマン世界を代表しているにすぎないとみなすことである。この歴史観においてヘーゲルとカントは一致しており、世界市民として当時の欧州で湧き起こっていた国民国家運動を観察していたのだ。ヘーゲルはナポレオンを「馬上の世界精神」と呼んだ。それはヘーゲルが国民国家的な世界史の視野を超えていたことを示し、国家理性・世界理性の実現を使命とする偉大なる人物の登場を切に期待していたことを表している。

　ドイツ哲学におけるこの伝統に基づくのであろうか、戦後のアーレントによるハイデガー弁護によれば、ハイデガーがナチスの活動に関わった動機は、プラトンが古代ギリシャのシラクサで意見具申を通じて僭主の考えを改めさせ、都市国家を救おうとしたのと似ているという。ただ、プラトンは目標を実現することはなく、アテネに戻ったのち、理論を行動に移そうとする欲望は無意味であると悟った。アーレントはこう書いている。「ハイデガーもかつて「住居」を変えて人間的事柄の世界に関与したいという誘惑に屈したことを、現在の我々は知っている」。だがハイデガーが受けた扱いは「ある意味においてプラトン以下だったかもしれない。暴君とその犠牲者が外国ではなく自国にいたからだ」。哲学者の政治参与というプラトンとハイデガーの運命からアーレントが引き出した結論はこうだ。哲学者が人間に関与したい事柄に介入した後暴君や指導者寄りに転向したことについては、時代状況や、フランス人が言う職業的歪みを考慮する必要がある。暴君が引きつける力を持っていることは多くの思想家が証明するところだが、カントだけは最大の例外だ、と。

　アーレントのハイデガー弁護はハイデガー自身の胸中を代弁しているだろうか。考証の手がかりはないが、一点確かなことは、ハイデガーがフライブルク大学の学長就任時に発表した演説「ドイツの大学の自己主張」がナチズムの主張に満ちたものではないということだ。彼が強調したのは大学の自治である。自治とは「我々がそうあらねばならないと考えるものになるため、使命を自身に課し、自らその実現の方法を定めること」を意味する。彼はまた「学問に発し学問を通じて、ドイツ民族の運命を導き守る者を教育し陶冶する」とも言っている。ここはアーレントが「プラトンコンプレックス」とみなした根拠ではないかと思われる。ハイデガーはまた、ドイツの大学生に三つの義務を求めた。それは国家に対する勤労、国防および知的奉仕であり、「民族を通して精神的負託を担う国家の運命へと至る」と意味づけた。このくだりが多くの批判者から国家社会主義に呼応したものと認定された。もちろん演説でハイデガーは哲学の尊厳を掲げており、「精神的―歴史的現存在の始原」に立ち戻る必要性を強調した。この始原とはギリシャ哲学の開闢のことであり、「知は至高の反抗を尽くさねばならない」「ギリシャ人が考えたのは実践を理論に同化することにあったのではない。逆に、理論自体を真の実践の至高の実現とみなすことにあった。ギリシャ人にとって学問は「文化遺産」ではなく、民族―国家的現存在を内奥で規定する中枢であった」。ハイデガーはギリシャ哲学を指針とし、ドイツ民族を歴史的―精神的民族へと作り上げようとした。演説の最後に引用したのはプラトンの言葉である。「偉大なるものはすべて嵐のなかにそびえ立っている」。

　ハイデガーの演説からうかがえるのは、彼の内心の奥深いところには確かに哲学的精神によって総統の思想を改造するという、アーレントが指摘した動機があったということだ。ボリシェビズム的虚無論と資本主義的唯物論のはざまでドイツは最大の危機に遭遇した「純哲学国家」であり、ドイツは自らを救出しなくてはならず、溌剌たる黄金時代に回帰して真のドイツ意識を再発掘できる可能性をナチズムは具えている、と彼は述べたことがある。こうした認識はナチス帝国崩壊二十年後も完全に放棄したわけではなかった。一九六六年、ハイデガーは『シュピーゲル』誌に掲載された対話（本人は死去十年後の発表を求めていた）で、こう説明している。二十二もの政党が自らの主張に固執し、世論が混乱する当時の状況にあって、国家を代表するものとしてまず必要なのは社会の綱領であり、そこでナチズムに「新しいもの、新しい希望の光」の可能性を見出したのだと。ただ彼は、一九三三年に学生に対して総統をドイツの現実と未来の「法則」にすべきだと言ったことは後悔しているとも語っている。この歴史の教訓のためであろう、ハイデガーは哲学の社会への働きには悲観的態度をとり、一九三三年の時のように哲学が総統や暴君を教育できると再び信じることはなかった。彼の言葉によれば「思惟は何も行為しないということではない。思惟それ自体が世界の運命との対話のうちに立っている行動なのだ」。彼は「形而上学に由来する理論と実践との区別、および両者のうちの伝送という考え方が、私が思惟という言葉で解するものへ洞察し入る道を塞いでしまう」「思惟の最大の危険は、私が見る限り、今日まだ思惟がはっきりとした形で直接に自らの事柄の前へと、したがって自らの道へと連れて行くのに十分なほど「偉大」であるような思惟者が語るということがない、という点にある」と率直に認めている。

ハイデガーによる哲学の純粋性や思惟の働きについての観念は、一九三〇年代にナチスに協力したことについて謝罪を拒むことの内在的理由を構成するものかもしれない。当時の経緯についてハイデガー自身、釈明したことがある。総統に投降したのは一種の妥協だと言い、そうしなければ学長の務めを果たせなかったと強調している。ハイデガーの独立性を支持する重要な事実としては、彼がフライブルク大学学長を務めたのはわずか十カ月にすぎず、自発的に辞職するとともにナチ党員の新学長との引き継ぎ式典への参加を拒んだことがある。一九四四年夏、ハイデガーは強制的にライン河畔で塹壕掘りをさせられた。彼は召集された教師団体中年級ではもっとも年上の一人で、ナチスが労役を免除した五百人の著名学者、科学者、芸術家のリストに彼の名前はなかった。とはいえ、数多くの厳格な思想史学者からみれば、この間の歴史はハイデガーの生涯における最大の汚点であり、ハイデガーとナチスとの関係がきれいなものではなかったことは多くの証拠が語っている。ヤスパースの回想によれば、ハイデガーはもともとナチズムを口にすることもなかったのだが、一九三三年春に突然ナチスの運動に興味を示した。ヒトラーのような無教養で粗野な人物がドイツをどう指導できるのかとヤスパースが尋ねたのに対し、ハイデガーはこう答えたという。「教養はどうでもいい。ヒトラーの両手を見るがいい。素晴らしい手だ」。フライブルク大学の同僚だったハインツ・ボリンガー博士はハイデガーをナチスとみる。「彼は講壇上のヒトラーであった」。

ハイデガーとナチスとの協力の歴史は、ハイデガーがプラトン流「哲人王」によって現実の総統を改造しようと空想したとか、大学を率いる務めからナチスと妥協したとか、あるいはまた協力はわずか十カ月の短期間だったとか、こうしたことはいずれも一九三三年に一歩踏み出したハイデガーを免責する理由にはならない。より重要なこととして一九三三年――この「ハイデガーの時」は彼の生涯においてもっとも屈辱的だったのみならず、西洋思想史上の一大事件ともなり、後世に対して啓発的な意義を持っている。知識人、特に民族精神や国家意識の形成を図る思想の先駆者らが全体主義の暴政に向き合うとき、いったいどうすれば身を落ち着けられるというのだろうか。彼らは恐怖から逃れられないかもしれず、誘惑を避けられないかもしれない。だが主張の一貫した思惟を持つハイデガーならば、その内在的要求に基づき、社会で公然と悪事を働く者に交わるのではなく、少なくとも沈黙を保つべきであった。その意味でハイデガーとナチスとの協力は、期間が短く、ある種の歴史的合理性があるにせよ、やはり思惟する者としての学術的、道徳的一線を越えたのである。

「ハイデガーの時」は象徴的な時間の窓であり、そこに見られる知識人と国家権力および統治者との関係はけっしてドイツに限ったものではない。第二次大戦中の日本でも同じような一連の出来事があった。当時影響力を持った哲学者、歴史学者、文学者らがいわば集団転向をして軍部に協力し、彼らの持つ知識と思想資源を国家総力戦に動員したのだ。もっとも典型的な例は一九四一～四二年に京都学派の著名な学者らが開いた座談会である。テーマは「世界史的立場と日本」「東亜共栄圏の倫理性と歴史性」「総力戦の哲学」「近代の超克」。これらのテーマから分かるのは、日本の知識界が「近代の超克」なる歴史観を構築するにあたって全面的に軍国主義支持へと転向したことだ。特に指摘したいのは、著名な哲学者西田幾多郎が二・二六事件後に繰り返し日本国民に対し軍国主義の危険性を訴えたにもかかわらず、日中戦争勃発後は知らず知らずのうちに「総力戦哲学」づくりに巻き込まれ、「世界新秩序の原理」という、のちに恥辱を被ることとなる文章を書いたことだ。もう一人は中国の新左派から非常に尊敬されている竹内好である。魯迅の崇拝者である竹内は太平洋戦争勃発後にこう書いて歓呼の声を上げた。「歴史は作られた。世界は一夜にして変貌した。感動に打顫えながら、虹のように流れる一すじの光芒の行衛を見守った。胸ちにこみ上げてくる、名状しがたいある種の激発するものを感じ取ったのである。十二月八日、宣戦の大詔が下った日、日本国民の決意は一つに燃えた。爽かな気持であった」（「大東亜戦争と吾等の決意（宣言）」、『竹内好全集』第一四巻所収、筑摩書房、一九八一年、二九四頁）。日本における「ハイデガーの時」はドイツよりはるかに多くの知識人が自覚的に国家的戦争機構に身を捧げて軍国主義の共犯者となり、それは彼らの個人史におけるもっとも恥ずべき一頁となった。

　現在の中国も「ハイデガーの時」にさしかかっているのか。中国の思想と知識の生産レベルからみて、国家主義賛歌の大合唱に努める学者らが思惟能力と相応の哲学的素養を持っているとは考えられず、大多数は理論的機会主義者である。その一人である汪暉を学術的背景からみるに、自身が標榜する新左派の立場や「批判的知識分子」なる位置づけと、彼の実際の理論的主張との間には大きな隔たりがあり、彼が多く表明しているのは国家主義的な政治とその価値への訴求である。今回彼が掲げた「革命家の人格」と「勝利の哲学」は完全に指導者のため積極的に意図してつくられたものだ。現在の中国の政治的需要に応じた新たな革命家の叙述であり、新しい革命家の到来を呼びかけ、革命家が主導する新時代を想像するものだ。この意味において汪暉は、哲学によって総統の思想を形成せんと試みて受け身的にナチスの政治的傾向に適応したハイデガーを完全に超えている。それは積極的自発的な思想的関与であり、至高にして無上の革命家の独断による決定と行動に新たな合法性を与えることを意図している。

　では汪暉がもし一九三三年のドイツに身を置いたとしたら何をするだろうか。古代ギリシャ以来の哲学的伝統に基づきドイツ民族精神を築き上げるよう総統に説くためハイデガー哲学を必要とするだろうか。あるいは抜かりなく「万歳三唱」してある種の自治の権利を追求し、自らの領域の自由を獲得しようと図るだろうか。おそらくいずれでもないだろう。汪暉が哲学的自覚と思惟的形而上学的能力を具えていることはありえないし、「革命家の人格」を具えた指導者との回りくどいゲームなどしようとはしないだろう。彼は一途な忠誠と奉仕をしたいだけだ。唯一障害となり得るのは、苦心して作り上げた晦渋なレトリックを新時代の革命家が直ちに理解できるかどうか分からないという点だ。ハイデガーのナチスとの協力は一種の策略あるいはやむを得ぬ妥協であり、彼が最終的にフライブルク大学の学長職を辞したことは哲学者の基本的良知と道徳的素養を失っていなかったことを示すものだと筆者は信じたい。これに対し汪暉が「何をなすべきか」が問われる今、打ち出している理論は、実のところ一つの政治決断を下しているのであり、この政治決断は周到に考えられた、かつ後には引けないものである。

　政治は直接性を求める。哲学の迷宮のごとき思弁の過程は政治家に方向性を見失わせることになる。それに比べればハイデガーの学長就任演説は、総統のみがドイツにおける現実と未来の法則であると学生たちに直截に語っており、総統がより好むものだった。汪暉がもし一九三三年のドイツにいたら、「革命家の人格」と「勝利の哲学」という偉大なる叙述はハイデガーの哲学的叙述よりもさらにいっそう総統の心を打つものとなったはずだ。

　まず、「革命家の人格」なる帽子は総統の頭には非常にふさわしい。汪暉は「革命家の人格」の五つの特性を挙げている。革命者とはまさしく革命する者であり、革命家は永遠に闘争し、革命家は政治権力を握るだけでなく「精神と道徳の主導権」を掌握し、革命家は機を見るに敏な「第二の天性」を持ち、そして革命家は永遠の革命家であり失敗を怖れぬ革命家である。これはまさに総統の人格についての非常に正確な描写といっていい。総統とはこのような革命の超人であり、革命家の使命に満ち、不撓不屈の闘争精神を持ち、独裁権力とすべての思想を統制する力を追求し、弱みを革命の機会に転じることにたけ、死してなお失敗を認めぬ革命的性格を持つ。このような革命家は、共産政権のみならず、政党の上に君臨して権力が制約を受けないという制度の下であれば生まれうる。汪暉の革命家の叙述は専らこうした指導者のために作られたものだ。

次に、汪暉が提示した指導者－政党－人民の間の緊密な結びつきと相互促進的な能動的関係はドイツのナチズム運動において十分具体的に現れている。ナチズムはソビエト連邦や文化大革命期の中国と比べると、この三者間の緊張関係が破綻することをよりうまく回避していた。この破綻こそは汪暉が二十世紀の社会主義国家の崩壊あるいは体制転換の原因とみなすものだ。ヒトラーがワイマール政権に代わりナチ政権を樹立したのは形式的には民主的選挙の結果だ。ナチ党とその指導者は民意の支持を得ている、つまり合法性の基礎がある。だがナチ政権は最終的に全体主義体制へと変貌し、総統は独裁者となり、ナチ党は総統の道具となり、人民は政治と思想において二重に統制されて国家権力に対する働きを完全に失った。したがって、指導者の概念、また指導者─政党─人民の関係を論じることは、そもそも全体主義の叙述であって、最終的に指向するのは指導者の政党と人民に対する支配の関係である。いわゆる「能動的緊張関係」は人民と政党が指導者を無条件に支持し、服従することを表したにすぎない。

第三に、汪暉の「勝利の哲学」は失敗を怖れぬ革命家に究極の精神的原動力を与える。最後は必ず勝利するという鼓舞の下では、革命の過程でのあらゆる失敗は一時的なものであり、失敗は次の勝利への起点にすぎないことになるからだ。このような勝利の哲学は徹頭徹尾ナチスの哲学を貫徹しており、宣伝記録映画『意志の勝利』はその最高の作品といえる。そこでヒトラーがもっとも多く語った言葉が「勝利」であり、ドイツの勝利からアーリア人の勝利、果ては世界征服まで出てくる。これこそ総統がドイツ人民に対して描いて見せた勝利の光景である。連合国軍がベルリンを攻略する最後の時になっても総統は必勝の信念を捨てなかった。この信念が第三帝国の崩壊を招き、ドイツと全世界に巨大な災難をもたらした。失敗を認めぬ独裁者、勝利の哲学を終始堅持する狂人は人類文明にとって最大の脅威なのである。

　汪暉による「革命家の人格」と「勝利の哲学」についての偉大なる叙述がもし彼にとっての「ハイデガーの時」をつくったというのであれば、少なくとも指導者に向かって概ねハイデガーと同様の態度と立場を表明するものであろう。だが両者の起点となる思想には雲泥の差がある。ハイデガーがやむなく総統に服従したとき、内心では思惟の尊厳とともに哲学の政治に対する優越感を維持しており、それがフライブルク大学の学長を就任十カ月で凜然として辞した勇気の所以である。しかし汪暉は中国における現下の情勢変化、とりわけ彼自身の言う政党政治の普遍的危機において、以前のような曖昧で言を左右にする機会主義的な政治言語を捨て去り、自発的に明確な政治的決断を下した。それはレーニンの「革命家の人格」から政治的エネルギーを汲み取り、犠牲と悲劇を勝利への行動綱領に盛り込んだ「勝利の哲学」を再建し、それにより新時代の革命指導者をつくり出すために新たな思想と道徳的資源を注入することである。こうして比較してみれば、汪暉は「ハイデガーの時」にあたってハイデガーよりさらに大きく踏み出していることが分かる。

　国際共産主義運動、特に二十世紀の社会主義の実験失敗に対し、科学的社会主義の創始者であるマルクスが最終的な責任を負う必要はない。ただ、彼の思想がパリ・コミューン後に次々と登場した革命家や革命運動に啓示を与えたことは疑問の余地がない。その主張する革命史観は階級闘争が暴力革命を経てプロレタリア独裁に至り、さらには共産主義を実現するというもので、各時代の革命家を参加へと駆り立て、革命運動を組織した。勝利した革命にせよ失敗した革命にせよ、革命が世界各地にもたらした災難は、人類に対する警告としての意義をなお持っていないといえるだろうか。「救世主などいない、神も皇帝も頼りにはできない」と革命歌インターナショナルが歌われて間もなく百五十年。二十一世紀の時代条件にあって、指導者や総統が主導する「新たな政治・経済・社会体制」を公に主張するとは一体どういうわけか。筆者がこの文章を書いたのは、「ハイデガーの時」がまだ終わっていないことを多くの人々に注意喚起するためである。哲学、信仰や道徳が知識人を制約する働きをすでに失った今、知識人の堕落がいかにして政治を再び長い暗黒の時間へと引き込んでいくかを我々は目撃し続けることになるだろう。

『シュピーゲル』誌が一九六六年にハイデガーへの取材を終えた後、繰り返し検討して確定させたタイトルは「かろうじてただ神のようなものだけが我々を救うことができる」だった。神とは誰か。この神はハイデガーに対して有効なのか。中国の知識人に対しては有効なのだろうか。

第十三章　特異な時代における道徳的事件と道徳的実践者

——アーレントの立場から見た中国知識人の道徳的状況

知識人の精神史が示す通り、もっとも劣悪な政治環境や条件下でも、たとえ大多数の知識人が暴力の脅迫と生存への誘惑に屈して最低限度の道徳を捨てることになっても、一部の徳のある使者は勇敢に立ち上がり、特異な時代に道徳の世界を再構築する偉大な使命を果たす。彼らはマックス・ウェーバーの言う闇夜の守護者であり、祈りや忍耐ではなく、天が賦与した道徳的職責に従い、個人の行動と取り組みによって歴史の夜明けをつくり出す。

法的審判の上にある道徳審判

「知性のあざむきと徳の没落」の執筆をもって、汪暉の「革命家の人格と勝利の哲学」への批評は打ち止めとしたい。三つの文章を通じて、ロシアから中国、そしてドイツへと国境を越えた思想シーンを読者に描いてみせることを試みた。世界の現代史で、この三カ国だけが似通った歴史的事件を経験し、人類社会に計り知れない影響を及ぼした。思想史の叙述の力は、異なる思想の時代、環境、制度の下で出現した人物や事件に対して、潜在的なつながりや関連性を見出せることにある。もちろん、歴史がさまざまな歴史観とイデオロギーによって遮断されるなか、歴史の真相を再発見、再解釈するのはたやすいことではない。人類の認識の進歩は依然として経験の積み重ねと現象学への観察によって決まる。この意味において、アーレントは後世に卓越した手本を示した。仮にアーレントがエルサレムでのアイヒマンの公開裁判を自ら傍聴していなければ、『ニューヨーカー』誌に連載された傍聴記録『エルサレムのアイヒマン――悪の陳腐さに関する報告』のような深い思考ができていたとは考えにくい。彼女の実践が証明したように、思想の現場は道徳に従い、徳によって人の命運を引き受け、批評しなければならず、悪質な問題が道徳に絡む場合、時に道徳的批判は法的批判よりもはるかに重要となる。

道徳の問題は歴史の特異な時代にこそ問題となる。正常な国では、個人が道徳的君子になるのは普通のことだ。ただ国の法律と公序良俗に従いさえすれば、道徳的な人になれる。しかし、過激主義体制の国では、どれほどの人が道徳水準を満たせるだろうか。英国の歴史学者、オーランドー・ファイジズの著書『囁きと密告――スターリン時代の家族の歴史』（邦訳、白水社、二〇一一年）は普通の人の道徳史と呼ぶに値する。同書は、改造された「ソビエト人」がすべて「密告者」――または陰でこっそりとひそひそ話し、互いに本心を上にばらし、密かに支配者に迎合し、当局に密告する通報者――になったことを記録している。過激主義の有形無形の統制下で、人民はさまざまな統治の手段でねじ曲げられ、政治権力を恐れながらも心底崇拝するようになり、国全体の道徳が崩壊し、「スターリン統治下の道徳的真空状態」が生まれた。道徳は人民に欠落した精神となった。ロシアの歴史学者、ミハイル・ガフタはこう指摘した。スターリン制度の本当の力と恒久的な遺産は、国家構造でも領袖への崇拝でもなく、「私たちの心のなかに潜むスターリニズム」にある。

ナチズムにしろスターリニズムにしろ、道徳世界への統制と改造は根底でつながっている。国家の暴力装置による強制力で人々の心に恐怖を植え付け、恐怖の陰影から逃れられないようにする。また圧倒的な宣伝機関と手段により、人々の大脳を絶え間なく洗い清め、精巧な利己主義者を完成させる。道徳が欠落した体制では、悪の存在を容認することが常態化し、正義の声は有罪とされ、または大衆の沈黙のなかに埋もれていく。まさにアーレントが指摘した通り、ラディカリズムにおける「悪の過激化」と「悪の陳腐さ」である。「あらゆる道徳のカテゴリーを超越し、弁護の基準は破壊され」、為政者のみならず被害者に至るまで道徳は完全に崩壊していく。さらに深刻なのは、道徳世界が崩壊するとそれが普遍的に受け入れられ、誰も反省や再考をせず、そのために代償を払う者もいなくなる。道徳はたんなる個別の行為、特に当局の行為への修飾語かラベルにすぎなくなる。アイヒマンは裁判で自身がカント的であると主張し、カント倫理学の定言命法についてほぼ正確にその定義を言い表した。「私がカントについて理解しているのは、私の意志の原理は常に普遍的な法的原理となり得るようなものでなければならないということだ」（ハンナ・アーレント『エルサレムのアイヒマン——悪の陳腐さに関する報告』、安尼訳、澤林出版社、二〇一七年、一四三頁）。この発言に裁判官は衝撃を受けた。当然のことながら、第三帝国の領袖にとっては道徳の皮をかぶる必要はまったくなかった。ナチス・ドイツのゲッベルス宣伝相は一九四三年に宣言した。「我々は歴史上もっとも偉大な国家の領袖か、極悪犯罪者のどちらかの身分で歴史書に刻まれるだろう」（同書、二二頁）。こうした勝てば官軍、負ければ賊軍の発想自体が、あらゆる道徳の戒律を捨て去っており、悪者はその能力を思う存分に発揮し、あらゆる道徳のボトムラインを突き破るのである。

　アーレントはアイヒマンの裁判を法的事件としてだけでなく、道徳的事件ともみなした。道徳の高みから裁くことは、言うまでもなく過激主義批判の理論的視座を提示することになった。特に罪かそうでないかのぎりぎりのラインで暮らした多くの「中間地帯」の人々をどう扱うかという問題に関わってくる。彼らは法的にはナチズムの殺人機構に直接参与していない。例えば哲学者ハイデガーは戦場の塹壕掘りにかり出された。これだってナチスの迫害の一貫だが、彼はその犯罪に対する法的責任を負う理由はないのだ。しかしアーレントに言わせれば、「生命の危険にさらされた中でのやむを得ない行為は、処罰を免れる合法的な理由となるが、道徳的には決して正当化されない」（ハンナ・アーレント『「悪の陳腐さ」への反抗』、陳聯営訳、上海人民出版社、二〇一四年、五〇頁〔邦訳は『責任と判断』ちくま学芸文庫〕）。アーレントは、個人の責任と道徳の問題は、ナチスに心から傾倒する人々にはまったく通用しないと特に強調している。彼らは罪の意識を感じず、ただ打ち負かされたと感じるだけだ。つまり道徳の問題は、ナチスの犯罪に直接参与していない一般人に対してこそ——哲学者でも末端の技術官僚でも——有効であり、重要なのである。

　全体主義体制で、一般人は政権への協力を拒否または回避することができるだろうか。協力しない可能性は存在するか。ナチズムからスターリニズムの歴史を振り返れば、協力しない選択をする可能性は確かにきわめて低い。その原因は、政権の暴力統治が国民一人ひとりに対して強制力を持ち、あらがうことが難しく、また生活資源が当局に独占され、個人の生存条件を直接的に支配しているためだ。それに加え、政権が唱える知識や価値体系が個人の精神世界に侵入し、大多数の人々を黙らせ、またその体系の合法性と正当性を容認させているためだ。それゆえ、ドイツ民族は長きにわたり「カントの道徳的格律は言うまでもない」との信念を持っていたにもかかわらず、暴力による脅迫と精神的な統制のなかで、道徳が個人の精神的支えとなり続けることは難しかった。戦後、ドイツは道徳的な混乱状態に陥った。国家の犯罪に対する集団の責任は自発的に認めるが、個人の責任は大多数が無視したのだ。

　つけいる隙のない道徳という免責の壁を相手に、アーレントは根気強くその足元を掘り起こして大きな穴をあけ、最終的に倒壊させた。彼女は、全体主義政権に対して協力しない態度を示し、行動をする選択肢は存在すると固く信じていた。統治者の命令と被治者の服従という関係性にある政治体制では、不服従は可能であり、必須だ。「政治と道徳の営みに「服従」自体が存在しない」（同書、七一頁）。服従は宗教の領域にのみ存在する。不服従の態度と立場を取れば、「独裁体制の下で公共生活に参加しなかった人々は、服従という名の下にこうした支援が求められる「責任」のある場に登場しないことで、その独裁体制を支持することを拒んだ」。このことはつまり「多くの人が「無責任に」行動し、支持を拒めば、ボイコットや抵抗などしなくても、どんな統治形態だってどうなるだろうか、少しでも頭を働かせれば、これがどれほど有効な武器となるか分かるだろう。実際、今世紀に発見された非暴力行動と抵抗の形式の一つにすぎない。国民の不服従が持つある種の力なのだ」（同上）。このため、犯罪行為に参加し、命令に服従する人に対しては「なぜ服従するのか」と聞くべきではなく、「なぜ支持するのか」と聞くべきなのだ。アーレントによれば、「服従」と「支持」は語義の違いではなく、「服従」という「破壊的語句」を道徳と政治思想の言説から取り除き、人々にある種の自信を与えることができる。「かつて人の尊厳だとか名誉だとか呼ばれていたものを再び取り戻す。これは人類に関することではなく、人が人であるためのステイタスに関わることかもしれない」（同書、七二頁）。

　アーレントの著作をただ思想史の文脈で読めば、過去を回顧する意味しかなくなってしまう。彼女の全体主義批判は、こうした制度がいまだに人類社会に存在する以上、間違いなく強力な理論的浸透力と有効性を保持している。彼女の批判の矛先となったナチズムの歴史はドイツでとうに終わりを告げたが、全体主義の起源となった政治社会の土壌や心理的な土台はまだ地球上から完全に取り除かれていない。アーレントは米作家フォークナーの名言を引用する。「過去は決して死なない。過去でさえない」。また「私たちが暮らす世界は常に過去の世界である。この世界はこれまで人々が打ち立てた偉大な石碑と廃墟でできている」（同書、二五三頁）。こうした見方に照らせば、全体主義批判の歴史的使命はまだ数世代にわたり続けなければならない。特にアーレントの「悪の陳腐さ」に関する精緻な分析は、「エルサレムの現場」を離れても、また別の、知性が欺かれ、道徳が廃れた時代に全面的に実証され得る。筆者が「ハイデガーの時」に見出した「エリートの恥辱」は、道徳的な「悪の陳腐さ」と同様の性質を持つ。異なっているのは、「悪の陳腐さ」は事後に法律と道徳の二重の裁きを受けることになるのに対して、「エリートの恥辱」はただ知識人（たが知識人に限らない）の道徳世界の崩壊を示したことだけだ。これは法的事件ではなく、道徳的事件であり、当事者は必ずしも現代でなくても、未来においてある種の道徳的裁きを受けなければならない。

道徳事件に見る「エリートの恥辱」

アーレントからどう中国を見るか。言い換えれば、アーレントなら中国をどう見るだろうか。まず、中国が形而上学の国家ではないことに気づくだろう。この国にはカントが打ち立てたような思想の伝統がない。ドイツには道徳的格律に対するある種の普遍的な尊敬の念があり、アイヒマンのように罪を犯した者でも、内心では定言命法の重要さを知っていた。中国の儒教伝統も倫理に重きを置くが、道徳は個人の自己修養に限られ、公共道徳にまで広がったことは一度もない。続いて、彼女は中国が宗教の信仰心にあふれた国家でないことに気づくに違いない。キリスト教の罪の意識や救済の意識はなく、大多数の国民が自身の肉体を崇拝し、現実的な快楽や物欲を満たすことを精神の救済よりも優先させる。この二点を強調したのは、中国の道徳資源はドイツよりも貧しいという現実を示すためだ。似通った政治条件で起きる道徳的事件は、おそらくドイツよりも俗っぽく、醜悪なものとなるだろう。

中国ではここ十年、知識人を中心とする道徳的事件が後を絶たない。盗作、学術的捏造、粗製濫造、成果の虚偽報告、学生への搾取、不倫、汚職、収賄、なんでもありだ。学界の風紀は傷つき、学術的道徳の堕落は最低レベルに達している。知識人はこれまでにないほど「エリートの恥辱」を体現している。筆者は特に政治に関わる道徳的事件に注目する。なぜなら、それらは公共道徳に関わり、個人の事件よりも影響が大きいためだ。紙面が限られるため、三つの典型的な事例を挙げたい。

事件１：新左派学者がこぞって重慶に向かった事件。二〇一二年、筆者は「重慶に馳せ参じる学者たち」という文章を執筆し、新左派学者と一部の著名大学、研究機関が重慶に殺到する現象を批判した。そこで取り上げたのはこれらの人たちだ。崔之元、李希光、王紹光、温鉄軍、張維為、黄宗智、張旭東、戚本禹、朱永嘉、張宏良、蕭功秦、張木生、楊帆――。彼らは新左派の学者、毛沢東左派、文革の残党、「学者の端くれ」たちだ。立場は違えど、当時の「重慶モデル」とその指導者を高く評価していた。筆者は〔大要〕「左派の思想資源が重慶に集まり、整理統合され、巨大な声となった。ここ三十年近くの中国の地方の発展においても思想界においてもまれに見る現象だ。急進的な毛沢東左派、政治的な旧左派、学術的な新左派の流れがはじめて重慶の旗の下で合流し、阻止できないほどの勢いとなった」と評した。同時に多くの国内の著名大学や研究機関も競って重慶へ「聖地巡礼」し、重慶の学校と協定を結んだ。数十の大学が、重慶市で当時全盛期を迎えていた公安局長を兼任教授として迎えたが、もっとも馬鹿げていたのは、四川美術学院ですらこの公安局長を同校の教授としていたことだ――見方によってはまさに政治行動芸術と言えなくもない。これほど多くの学者と大学が競って重慶に向かった動機は「司馬昭の心〔野心は誰の目にも明らか〕」であり、重慶の当時の指導者に忠誠を示し、仲間入りすることだった。その後の結末は言うまでもないだろう。この事件は知識人と政治権力の間の醜い関係を端的に示す典型例だ。学者の基本的職業倫理と個人の品行は現実政治においてほぼすべて失われてしまうのである。

事件2：百人の作家による「講話」清書事件。作家出版社は毛沢東による延安文芸座談会での講話発表七十周年を記念し、「百人の文学芸術家が清書した講話の秘蔵冊子」を企画した。参加者が一人ひとり講話の一部を清書し、それをまとめて出版したのだ。出版社は参加者に報酬として千元を支払った。このイベントが公表されると、大きな議論を呼んだ。筆者は「千元の魂」と題する評論を書いた。まず、清書する人のリストに注目した。リストには、賀敬之、鉄凝、高占祥、瑪拉沁夫、周巍峙、劉大為、王昆、田華ら古参の革命文芸活動家のほか、王蒙、莫言、二月河、陳忠実、賈平凹、葉兆言、韓少功、麦家、張潔、周国平、池莉、蘇童、葉延浜らも含まれていた。後段の人たちの参加は衝撃をもって受け止められた。なぜなら、これらの人たちの作品は社会主義が掲げる文芸の基調を離れ、労働者・農民・兵士の情熱あふれる生活から乖離し、政治に奉仕するという文学の趣旨を忘れ、エロチックな描写を追求する低俗趣味であったり（陳忠実の『白鹿原』、賈平凹の『廃都』）、西側ブルジョア階級の現実主義に陥った泥沼であったり（蘇童、韓少功、莫言、葉兆言ら）、あるいは抽象的な人道主義に迷い込んだりする（張潔ら）作品の著者だったためだ。二月河、海岩、麦家に至っては、市場を席捲してきた作家である。売れる本の著者と「講話」に一体何の関係があるのだろうか。おそらく社会的論争となったためだろう、葉兆言は非常に後悔し、恥だと感じたようで、短文投稿サイト「微博〔ウェイボ〕」に「黄色い泥が股ぐらに入ってしまえば、糞でなくても糞だと思われる〔弁解の余地のない誤解〕」「ハエを食べたような気持ちの悪さ。もともと「講話」に何ら好感は抱いていない。特段大したことだと思っていなかったことを深く後悔している。重視しなければならないこともあるのだ。プロレタリア、ブルジョアが人民大衆のためにという下りを清書したとき、笑ってしまうと同時に喜ばしくも感じた。今日ではもはやこんな語句は聞かれなくなったためだ。筆者は、こうした字句が私たちを傷つけることはもうないと思っていた。しかしそうではないようだ。この張り子の虎はいまだに私を痛めつける」と投稿した。周国平も後悔した一人だ。彼は自己弁護をもって自責の念を示した。彼は、講話を記念することは、自身の心境の道のりを記念することであり、すなわち講話が発表された当時、中国の政治的文脈では知識人は原罪だったと指摘した。筆者は評論でこれらの作家に疑問を呈した。講話の指針の下で、中国の文学はかつてどんな状態だったか。人民の心の世界にどのような影響を及ぼしたか。中国は世界に向け、どのような文化精神の姿を示したか。作家たちは心では分かっているはずだ。もし講話の精神に基づいて作品を執筆していれば、王蒙、莫言、蘇童、葉兆言、周国平よ、あなた方はどんな創作的啓発を受けるのか。作家はもっとも精神の自由を尊ぶはずだ。あなた方は本当に講話によって精神を縛られたいと思っているのか。

事件3：北京大教授、範曽らが九つの祝いの詩をつくった事件。二〇一四年十月二十一日、北京大中国画法研究院は新時代の文芸工作座談会での領袖〔習近平国家主席のこと〕の講話を学ぶシンポジウムを開催した。教授たちは領袖の講話について「力強いお言葉」「周到に述べられている」「緻密な論述」「高い見識」「言葉が簡潔」「意気軒昂だ」などと称賛し、新時代の文芸家は高い空を突く鴻鵠の志を持ち、さらに地に足の着いた創造の精神と人民を深く愛する誠実さがなければならないと評した。教授らは、人民の生活を表現することは、文芸創作の最優先課題であり、中国の現代芸術を高原から最高峰まで引き上げなければならない、北京大学は文化の重鎮として、自ら責務を担う使命がある、などと訴えた。そしてそれだけではまだ物足りなかったのか、最後に「詩作による祝賀」までした。その一部を掲載する。

範曽の詩

広大な国土が日の出を浴びて、偉大な山河に漂うお香、
目覚めた神州は厄災を逃れ、喜ばしくいただいた素晴らしい文章。
竜が国土にいなないたのは過去ではない、風が高所を目指し超えていく日常、
文章は技巧に優れ、自ら切り開いた光明に満ちた道。

万俊人（清華大倫理学教授）の詩

秋の帝廟に高く日が昇り、領袖の言葉が技巧に優れているのは常。
十翼はついに世界に近づき、花々が競うように咲きほのかに香る。
国の命運を懸けて新たな道を切り開き、塗り替えた古い章〔しきたり〕。
一時代の英雄が大きな夢を受け継ぎ、千年の偉業に切り開いた道。

周建忠の詩

十月の空に明るく輝く太陽が昇り、モクセイが咲き誇り満ちる香り。

中国の台頭は一人の名君がその偉業を受け継いだ、文学芸術界が別れを告げた古い章〔時代〕。

儒家の経典や道徳は世代を超えて伝わり国学となり、国に尽くすことは尋常ならざること。

盛会を迎えた大海原に臨み、門下に加わりたく粛然とする。

朱彦民の詩

誉れ高き北京大学は秋の日の光に照らされ、葉は黄色に木の幹は紫となり花が香る。

まさにこの時、中国は皇帝をお手本にし、実感する文芸界の優れた美文。

九人の賢人が正道を語り、数千年の文学史を経て語る三綱五常〔儒教で重んずべき道のこと〕。

漢唐のような繁栄の世の再来を期するなら、この輝かしい道こそが王道。


これらの詩を読んで読者はどう感じただろうか。おそらく少しでも恥の意識がある人は生理的に受け入れられないだろう。文人が超えてはならないラインを突破したという点では、郭沫若をも超えている。歴史上、皇帝を称える詩は確かに多々あった。歴代の王朝で恥知らずな文人はいつだって人の神経をさかなでし、忍耐力を試してきたが、そんな歴史上の文人と比べても、上記の詩人は記録を更新したと言える。範曽の経歴を見ると、その変節ぶりは驚くばかりだ。三十数年前には「脱国の書」を記し、大義のために死ぬと言わんばかりだったが、その数年後には海外での苦労の日々に耐えきれず、悔いて「帰国の書」を書いた。まるでさまよった末に戻った子羊のように。天性の風見鶏であり、屈原の代表作「離騒」を暗記すれば卑しい心根を粉飾できると思い込んでいる。これはここ数十年来の最大の道徳的事件にほかならない。あの清華大の倫理学教授に至っては、あんな人物〔習氏のこと〕を「恩師」として拝んでいる。一体どこの倫理を学んだのだろうか。もしマルクスなどと言えば、筆者は責任を持ってこう言える。マルクスへの最大の侮辱だと。

上述した三つの事件は、それぞれ異なる知識人グループが起こしたもので、政治から文学と訴える手段は違っているが、いずれも「エリートの恥辱」をさらしている。重慶に向かった学者にとっては、特定の政治家を選択し、その人を通じて特定の政治的理想を実現しようとした。これ自体は責められるべきことではないが、彼らはこれも道徳的選択だと知らなければならない。道徳的選択というのは、政治的領袖を自身の精神的領袖とみなしたのなら、自分の領袖に対して道義的責任の一端を担うべきであり、領袖と苦楽を共にする覚悟と責任を持たなければならない。しかし現実はまったくそうではない。「西南の大黒柱」〔司馬南の造語、失脚した薄熙来・元重慶市共産党委員会書記のこと〕が倒れたとき、新左派の学者は誰一人として、かつて政治・精神的領袖とみなしていた人物のために声を上げることをせず、それどころか、ぼろい靴のように捨て、その後もとらわれの身となったこの人のために不満を口にすることもなかった。それに比べ、リベラルな学者の〔天安門事件の前後に失脚した改革派指導者の〕胡耀邦と趙紫陽に対する態度は一貫しており、数十年にわたり注視し、理解し、同情し、そして両者の政治的な品格と道徳的な人格を盛り立てている。新左派の学者の道徳レベルがどれほどたちが悪いかが分かるだろう。彼らが重慶に向かったのは、日和見にすぎないのだ。

百人の文学芸術界の「講話」清書事件では、延安から来た古い革命の文芸家や長期にわたり党の恩恵を受けてきた体制寄りの作家たちがやったことなら世論はそう驚きはしない。政治的行動と彼らの価値観が一致しているためだ。しかし気鋭の作家や大衆作家が「講話」を清書するのは、人格が破綻しているに違いない。彼らは内心では、葉兆言がぼやいたように、ハエを食べるような行為だと明らかに分かっているはずだ。すべての作家がみなハエを食べたがったわけではない。上海作家協会主席で、著名作家の王安憶はこのイベントへの参加を拒絶した。こうした選択をするのに何もそれほど高い道徳水準や良識が必要なわけではない。歴史の経験に少しでも知識がある作家なら、文学や芸術と政治の関係に正しい判断を下すことは難しくない。あの詩を発表した詩人については論評する価値もない。彼らは「恥ずべき振る舞いはせず」の考えを完全に忘れ、宮廷の御用詩人に成り下がり、口を極めてこびへつらい、儒学者、顧炎武が言った「士大夫が恥知らずなのは国の恥」のレベルに達している。

　アーレントはチャーチルが一九三〇年代に述べた言葉を引用している。「小さい頃から不変で重要だと信じ込まされたことのうち、いまだに続いていることはわずかだ。客観的にせよ人為的につくられたものにせよ。不可能だと確信していたこと、あるいは不可能だと教えられたことはすべてすでに起こった」（同書、七四頁）。この言葉は中国の知識人の道徳的状況の総括としてもそのまま引用できる。知識人の道徳的事件は上記の三つにとどまらない。道徳性の悪化はここ数年でひどくなるばかりだ。絶対に起こりえないと思っていたことが次々と起きている。道徳が全体的に驚くべき速さで崩壊し、社会のすべての階層に蔓延している。道徳面での悪は、法律に触れるわけではないため処罰されることはない。道徳的批判は「エリートの恥辱」をもっとも恥知らずにすることはなく、ただ さらに恥知らずにするだけだ。こんな特異な時代に、どのような力で、沈みゆく世界がこれ以上沈まないようにできるだろうか。

特異な時代の道徳的実践者

　アーレントの著書を読むとき、筆者はいつも彼女のナチズムに対する系統的批判に重要な部分が欠けていると感じる。それは、一体誰があの時代の道徳的実践者の役割を果たしていたのかについて描いていないことだ。これはミスではない。アーレントが向き合っていたのは「公共と私的な生活のすべての道徳基準が全面的に崩壊した」時代であり、道徳を実践し得る人がいなかったためだ。こうした状況がつくられたのは、一つにはナチス政権の恐怖統治により、批判的な意識を持つ思想家、特にユダヤの思想家がドイツを離れざるを得なくなったことにある。例えば、フランクフルト学派は一九三〇年代に集団で米国に亡命した。またナチズムの精神的締め付けの下で、ドイツの知識界は道徳的責任を放棄し、ナチス政権への支持者に転向した。ナチスに不満を持っていた少数派も沈黙するしかなかった。ナチスの時代は知識人が集団で失語状態となっていた。

　スターリン時代のソ連は、全体主義の締め付けという点ではナチスドイツに勝りこそすれ劣らない。一九三〇年代の大粛清の標的は、ボリシェビキ内部の同志とほぼすべての階級だったが、知識人は党内外で真っ先に被害者となった。暴力的な脅迫を受け、知識人の道徳世界は徹底的に崩壊した。ソ連共産党の元政治局員で、中央宣伝部長を務めたアレクサンドル・ヤコブレフは著書『靄──ロシア百年の憂慮録』でこんな事件を掲載している。一九三五年、十三人の著名作家や詩人が作家協会宛てに連名で手紙を送り、詩人パーヴェル・ヴァシーリエフが「思いつくままにその才能を使ってソ連作家の名を汚している」「文学青年階級の反体制派や不良のようなボヘミアニズムを煽っている」と告発した。この手紙はスターリンの同意を得て『プラウダ』に掲載され、内務人民委員部が即座に反応し、ヴァシーリエフを彼の同志の詩人、スメリャコーフと共に逮捕し、三年間の労働改造所での監禁の刑に処した。一九三七年二月、ヴァシーリエフは釈放からほどなく再逮捕され、七月にいわゆる「農民志向」の作家と共に処刑された（『靄──ロシア百年の憂慮録』、述弢訳、社会科学文献出版社、二〇一三年、一三三〜一三四頁）。これは当時のソ連では特別なケースではなく、ヴァシーリエフと同じ命運をたどった知識人は数知れない。教育界、文学界、芸術界および科学界はいずれも相互に密告し合う巨大な陰影のなかに押し込まれ、恐怖から抜け出すことはできなかった。ヤコブレフは沈痛な心持ちでこう記している。「読者よ、私は、すでに十分重苦しい過ぎし日の文学界の重責を改めて思い起こさせているのかもしれない。しかし、この重責は正直な人々の心から取り去ることはできないのだ」（同書、一三八頁）。それを証明するため、同書では作家による後悔の言葉を引用している。アレクサンドル・ノヴィコフは「われわれは皆刑事犯だ。声を上げずに黙っていたからだ」と述べた。ガイダールは「うそをつくことが習い性となってしまった」と語った。ボリス・パステルノークは「私は即座にソビエト国民にならなかった」と言った（同上）。後者は一九五八年に小説「ドクトル・ジバゴ」でノーベル文学賞に決まったが、ソ連の論壇の猛反発に遭い、ソ連共産党中央はスースロフの提案を受け、「パステルナークの誹謗小説に関する決定」を可決。大きな政治圧力を受け、作家は文学賞辞退の声明を発表せざるを得なかった。

　スターリン死去後、フルシチョフが指導者となり、ソ連は「解凍」の時代に入った。全体主義で凝り固まった土壌に自由の草が生え、知識人が理性を取り戻すと、「自由が得られるにつれて、個人の野心と嫉妬を背景にした密告、もめ事、暴露合戦の空間は大幅に縮まった」（同書、一五四頁）。もちろん、これは量的変化にすぎず、言論の自由や創作の自由の加速に直面し、国家保安委員会（ＫＧＢ）は一貫して中央に知識人の敵対活動および「文学批評」を報告していた。これらの批評はやはり作家の密告によって編纂されていた。しかし重大な変化もあった。一部の知識人は個人の力量と勇気で全体主義体制に挑戦し、「反体制派」と呼ばれる人々は当時のソ連の知識人の良心となり、道徳的実践者ひいては道に殉ずる者となった。デカブリストからナロードニキに至る精神の自由を求める伝統が再び刺激され、ソ連共産党員だったメドヴェージェフを代表とする民主社会主義派、ノーベル平和賞を受賞したサハロフを代表とする西欧派、ノーベル文学賞を受賞した作家アレクサンドル・ソルジェニーツィンを代表とする新スラブ派――思想から道徳まで、社会主義ソ連の命運をもう一度十月革命前夜に引き戻し、三つの選択肢を突き付けた。西欧の道を歩むか。国粋的スラブの道を歩むか。レーニン流の社会主義の道を歩むか。三つの政治的主張の隔たりはきわめて大きいが、追求する価値観は一致していた。すなわち、自由、民主と法治を求め、人の基本的権利を尊重する前提に基づき国家の政治と法律秩序を打ち立てることを目指していた。

　知識人の精神史が示す通り、もっとも劣悪な政治環境と政治条件の下でも、圧倒的多数の知識人が暴力による脅迫と生存の誘惑から守るべき最低限の道徳を放棄していても、一部の徳のある使者が勇敢に立ち上がり、特異な時代に道徳世界を再建する偉大な使命を担う。彼らはマックス・ウェーバーの言う闇夜の守護者であり、祈りや忍耐ではなく、天が賦与した道徳的職責に従い、個人の行動と取り組みによって歴史の夜明けをつくり出す。知識人たちが共に刻んできた精神史は、彼らの存在のおかげでそれほど振り返るに忍びないものではなく、暗い時代の歴史的栄光が体現されているのだ。

　中国の知識人の今の境遇をハイデガーの時間軸に沿ってみると、すなわち「現存在」と同時に「過去」と「未来」に向かって放たれ、中国の知識人はナチス時代とソビエト時代の歴史的経験を共有している。事実、歴史に照らし合わせてみれば、ナチスとソビエトの「過去」が現代中国では依然として「現存在」性がある。知識人の屈辱、密告、変節、投降、忠誠、協力、ごますり、出世の物語は、中国の言説では今も真に迫る響きがある。上述した三つの道徳的事件をナチスとソビエトの時代の知識人の世界に置き換えてみても、質的な違いをまったく見出せない。彼らは同じ制度の思考と道徳的環境にいるのだ。同じように、こうした制度の思考と道徳的環境で、中国でも、ソ連のように沈みゆくことに耐えられなくなった知識人がいる。大多数の人が「精神的非協力」と「言論面で抵抗せず」

の立場を取るかもしれないが、少数の知識人は天命とその道徳性によって覚醒し、独立と自由の精神を持って既存の統治秩序に対して理性的・道徳的批判を展開する使命を引き受けるだろう。

　中国の知識界の思想構造とソ連時代の知識人の思想構造は、同じイデオロギーを持ったため同調性がある。いずれの国でも大まかに三つの思想派閥に分けることができる。社会主義の価値を認める左翼思想。ソ連では民主社会主義とされ、中国では新左派とされる。次に普遍的価値を認める右翼思想。ソ連では西欧派とされ、中国ではリベラル派と呼ばれる。そして伝統的価値を認める保守思想。ソ連では新スラブ派とされ、中国では国学派または新儒家とされる。この思想のカテゴリーはロシアでは十月革命前夜に、中国では辛亥革命後の中華民国初年度にすでに形成されていた。知識人は制度転換のため異なる理念と策略、そして異なる知的背景と価値観を模索し、民族国家の近代化に向けた異なる考え方と方法論を形成した。これは中国とソ連が同調している部分だ。異なる部分は、ソ連時代の知識界の「反体制派」の思想は枝分かれしていたが、彼らは自由、民主、法治のある国家を建設するという共通の価値目標を持っていた。目標達成のため、彼らは現実の政治制度に批判的な立場を取り、それぞれの思想を代表する人物が次々と現れた。民主社会主義派のメドヴェージェフ、西欧派のサハロフ、新スラブ派のソルジェニーツィン――この三人は各グループの思想と理念、価値観を代表しただけでなく、ソ連全体の知識人の良心を代表していた。彼らは国家の暴力による迫害を受けた時も、大義のための道徳的な勇気と無敵の正義感を示した。一方、中国の知識界の三大派閥を見ると、ただリベラル派のみが統治機関の巨大な政治的圧力を引き受けている。リベラル派はここ数十年、中国の民主化を進めるため、思想的な啓蒙から社会的実践、憲法で保障された権利の実現から末端の大衆への喚起、環境保護から非政府組織（ＮＧＯ）に至るまで、一貫して時代の先頭に立ってきた。ところが新左派と新儒家は彼らの学術的な主張から社会の現実問題に注目することをせず、国家権力に対してしかるべき批判もしていない。それどころか、国家主義に走り、領袖と「名君」に深い期待すら抱いている。リベラル派が絶えず政治的圧力を受けているのとは対照的に、新左派と新儒家は国家の財政的サポートを得て体制内で水を得た魚のように生き生きと安住している。大多数が狡猾な利己主義者で、理論を編み出す能力がないわけではなく、真の左派や儒家として生きる道徳的勇気がないのだ。

筆者は「啓蒙知識人から公共知識人へ」（香港中文大の雑誌『二十一世紀』二〇一九年六月号、第百七十三期掲載）という文章で、中国の改革開放から四十年の知識人の思想と立場を次のように総括した。一九八〇年代は「思想の年代」であり、知識人の主な役割は思想の啓蒙にあった。知識人は自らを「啓蒙知識人」と名乗ることができた。一九九〇年代は「学術の年代」だ。知識人の思想は政治動員から抜け出し、学術と知識の生産へ転じ、「プロ知識人」となった。二十一世紀になると、知識界は「イズムの年代」に入った。インターネット技術の普及に伴い「公共知識人」が登場した。啓蒙知識人が思想の案内人、プロの知識人が学術の案内人だとすれば、公共知識人は思想と学術と同時に、価値観を導き、道徳的な配慮を持ち、道徳の実践者とならなければならなくなった。特異な時代にあるため、知識人は批判の武器の矛先を時代の理論の問題に向けるだけでなく、時代の現実的な問題に向けることがさらに重要になる。独立と自由な精神がなければ、しかるべき道徳の責務を担うことができず、また理論を完全に表明し、現実に向き合い批判することなどできるはずがない。深遠で何者も恐れない理論の背後には、必ず普遍的道徳の規則に対する絶対的な服従心がある。知識人は危機の時こそ、知性と道徳性の両方の実現を追求する。これこそが理想的な道徳の境地だ。私が地獄に落ちなければ、誰が落ちるというのか〔趙紫陽〕。

世界のリベラリズムの系譜において、中国のリベラリズムの思想の伝統は長期にわたり恥辱と恐怖の曇天にあり、今も晴れ間を迎えていない。しかし、リベラリズムの旗を掲げた数世代の知識人は、自由、民主、法治によって国家の政治を進歩させる信念を持ち続けている。中華の共和以来の歴史では、常にリベラリズムを代表する人物が思想を開拓し道徳性を磨く重大な使命を担ってきた。尋常ではない条件の下でリベラリズムの理想を実践し、刻苦して道を切り開き、自己を犠牲にして大義を得て、利己を求めない勇気を持つ。リベラリズムの理性と道徳の力は現代中国においてどう記録されるだろうか。未来に答えがある。中国の未来に希望を持ち、リベラリストは中国の制度の転換に伴う理論の問題を解決し、また道徳世界の再建に尽力する任務を負っている。

リベラリズムは政治哲学、法哲学と歴史哲学の中国という場での展開であり、道徳哲学の個人・集団の実践である。カントの偉大な力は、街頭政治での証明を必要とせず、自身の書斎で理論の嵐を起こし、ハイデガーが述べた通り、理論そのものを実践と理解して理想的に実現させる。これこそが学者の本当の使命だ。歴史は今まさに始まっている。中国のリベラリズムが代々バトンをつないでいく過程で、先駆者は知性と道徳の力で長期間抑圧されてきた道徳の空間を広げ、後世に、人としての尊厳を感じさせ、前進する勇気を与えるのだ。

聞こえているだろうか。アーレントが天上から私たちを励ましている。「人類の精神の恒久的で非凡なところは、歴史のごくわずかな時間に突然進歩し、高尚さ、尊厳、断固たるもの、そして世の中のことを笑ってみせる勇気——といったなにか偉大なものを示し、打ち立てること。何世紀を隔てても、まったく変わらない」（ハンナ・アーレント『「悪の陳腐さ」への反抗』七三頁）。

補章　日中関係三論――東京大学での講演

日中関係三論とは、「どのように中国を見るか」、また「どのように日本を見るか」、さらに「どのように日中関係を見るか」ということである。話すテーマは非常に大きいが、これは自分の知識の背景と関係がある。自分は哲学を学び、まずマルクス主義哲学、のちにドイツ古典哲学と欧州思想史を学び、さらに中国の清末以降の思想史や社会史に興味を持った。自分は日中問題の専門家ではないが、日本にずっと関心を持ち、微博ではかつて近代以降中国への影響がもっとも大きかった四つの国として、日本、ソ連、米国、朝鮮を挙げたが、現在中国にもっとも大きな影響を与える国として米国、日本、ロシア、朝鮮を挙げた。いずれの序列でも、共産党政権成立の前後いずれでも、日本の中国に与えた影響は一番目か二番目だ。

なぜ、共産党政権以前、日本の影響がもっとも大きかったのか。それは日本が中国に対し戦争を発動し、中国社会発展の方向を徹底的に変えてしまったからである。一九三六年五月五日、当時の国民政府の立法院院長、孫科〔孫文の息子〕は、「五五憲章」と呼ばれる憲法草案を発表、蔣介石は「訓政」から「憲政」への転換を準備していた。

ところが翌年、日中は全面的な戦争となったため、中国が始めようとしていた憲政へのプロセスは中断、それだけでなく中国の政治的なバランスを変えてしまった。つまり共産党が八年の抗日戦争を経て急速に発展、終戦時には百万の正規軍と百万の民兵を持つまでになったのである。毛沢東は

「もし日本の軍閥が侵略戦争を起こさなければ、自分たちは山の上にいるしかなく、北京で京劇を見ることはできなかった」と日本人に感謝したという。現在中国のリベラル派知識人が日本に対して好感を持っていないのは、日本が中国人民に対して行った誤りがこのように多くて数え切れないからである。

　このように書き始めたのは、日本に対して血の涙の恨みを訴えるためではない。中国社会の発展が憲政ではなく現在の〔共産党政権の〕状況になったのは、重層的な原因があり、日本の侵略が共産党に生存の機会を与えたとは必ずしも言い切れない。そして今日中国、日本、そして日中関係について語るのに、明らかに七十年前のレベルにとどまっていることはできない。現在、日中はアジアでもっとも重要な国家であり、国内総生産（ＧＤＰ）で〔世界〕第二位、第三位の国家であり、政治、経済、文化など大変複雑な関係を持つ隣国である。日中関係が厳しい状況にあるなか、新たな現実感覚と問題意識を持つべきであり、以下三つの方面から自分の考えを述べたい。

一　中国をどう見るか

中国をどう見るか。ここではまず自分の見方を述べず、他の人が中国をどう見ているかを述べたい。まずは経済学者の見方を中心としたい。というのも社会科学の領域では、政治学や哲学と比べ、経済学はより客観的であり、中立的価値観という原則を持ち、特定のイデオロギーではなく、事実とデータにより説明するからだ。経済学は国家の真の状況を測る主な窓口であり経済学者はこのような窓を開いた人である。では経済学者はどのように中国を見ているのか、どのような代表的な見方があるか。まず二つの時間を設定したい。一つは二〇〇二年、もう一つは二〇一二年であり、この十年間の間に、中国は信じられない、予測できないほどの変化を遂げ、日中関係にも重大な変化を及ぼした。

二〇〇二年、在米華僑の弁護士、ゴードン・チャンが『やがて中国の崩壊が始まる』（邦訳、草思社、二〇〇一年）を出版、大きな反響を呼んだ。彼は投資銀行で働き、中国で十数年を過ごし、専門的な知識と実務経験があり、銀行システムの問題から中国を観察した。

彼の書によれば、中国の銀行の不良債権は収拾のつかない状況であり、老齢年金の不足はあまりに多く、現行の政治、経済制度はやがて崩壊、そのタイムテーブルも二〇〇八年であると示した。だが二〇〇八年に実際には崩壊は起きなかった。この年、中国は四兆元を投じて下降していた経済の勢いを復活させ、世界的な金融危機のなかで唯一堅調だった。

二〇〇八年は北京五輪が開かれた年であり、全国民がお祭り騒ぎをし、張芸謀監督による開幕式は、中華民族の偉大な復興という夢に人々を陶酔させた。二〇一〇年には上海万博が開かれ、各国から人々が訪れた。GDPも中国は日本を抜いて世界第二位となった。このような天地を覆す変化は、ゴードン・チャンが五年以内に崩壊すると予言したなかで起きた。これはなぜか、彼はでまかせを言ったのか。チャンが中国崩壊論を述べたとき、中国の学者はこれをまず信じなかったが、米国の学者は半信半疑だっただろう。というのも中国の銀行業界の財務諸表は西側の銀行の基準から言えば、とっくに崩壊している、あるいは何度崩壊したか分からないほどだからだ。だが彼らは中国銀行業の背後には国家による巨大な信用の支持があることを考えていなかったし、中国の庶民は、あらゆる銀行は国家の銀行であって国家の銀行が倒れるはずはないと考えている。

もちろん、当時あらゆる米国の学者が中国経済が衰退すると考えていた訳ではない。コロンビア大学のアンドリュー・ネイサン教授とは二〇一二年に対話をしたことがあるが、二〇〇二年から二〇〇三年に中国崩壊論が登場した際、ネイサン教授は二〇〇三年に米国で発表した文章を紹介した。文章は中国の権威主義的制度には強靭性があり、車のタイヤのように弾力性があり、完全に死亡することはないというものだ。ネイサンは、この文章はゴードン・チャンとは異なる見方、つまり中国は崩壊のレベルには達していないとの認識を伝えるためだと述べた。

二〇〇三年に中国が崩壊するかどうかの判断で、筆者の印象ではゴードン・チャンの背後で大騒ぎし、あるいは彼の見方に反論した中国の学者はいなかった。おそらく彼らは中国がまもなく崩壊するなどとはあまりに現実離れしており、まじめに取り合う価値がないと考えたのだろう。

二〇〇八年に中国は数々の奇跡――北京五輪、リーマン・ショックから順調に抜け出し、ほとんどすべての学者がこの信じがたい奇跡に対し、歓喜の声を上げ、心から称賛、あるいは暗黙のうちに認めるなど、批判的な声はほとんどなかった。

ノーベル経済学賞を受賞したシカゴ大学の故ロナルド・コース教授は中国に出現した華麗なる現象に驚嘆の声を上げた。シカゴ大で開かれた中国の改革開放三十周年に関するシンポジウムで、コースは香港の経済学者、張五常〔スティーヴン・チュン〕に基調報告をお願いした。コースにとって、張は三十年の経験を総括する資格がもっともある学者だった。というのも一九八一年に張は、中国は資本主義の道を進まねばならないという、当時としては非常に大胆な提案をしたからだった。

張は報告で中国の改革と発展をどのように見ていたのか、簡単に言うと二つの点を強調した。つまり中国が資本主義の道を進み、市場により資源を分配したこと、もう一つはいわゆる「県際競争」つまり中国は県を主体とする地方間の競争が経済の高成長に不断の原動力を与えてきたことだ。この二つの基本的な判断から、張は中国の経済制度こそ世界で最も優れているとの驚くべき結論を出した。

コース教授は張の報告を高く評価したが、これは彼を尊重したのか、それとも当時は確かに中国の奇跡ゆえに中国が抱える問題を見出せなかったのか。筆者はいずれの原因もあると思う。二〇〇八年、中国は確かに多くの奇跡が出現した。壮大なる北京五輪やリーマン・ショックを乗り越えたほかにも、高速鉄道、殲20（ステルス）戦闘機、神舟号有人ロケットなどが大きな成果を呼んだ。この繁栄の下ではあら探しをしようとする人すら慎重に発言せざるを得なかった。称賛のほかに誰が根本的な疑いを発することができただろうか。

ネイサンは二〇〇九年に、二〇〇三年以降持っていた中国への見方、つまり中国の権威主義的制度が強靭性を持っているとの見方を変更し、米国の雑誌への寄稿で、この強靭性が失われつつあり、中国社会にあった協調性や適応性が消えつつあると伝えようとした。だがこのような声は伝わることなく、人々は張五常のような見方、中国の経済制度が世界でもっともすばらしいという意見を聞きたがっていた。かつては社会主義こそが中国を救うことができると言われたが、その後ソ連・東欧の激変を受け、中国のみが社会主義を救うことができると言われるようになり、さらにはリーマン・ショックを経て、中国のみが資本主義を救うことができるとまで言うようになった。このような冗談めいた言い方は、二〇〇八年における中国の世界における位置を反映していた。中国の成金のような急激な台頭に、まさに国家主義に向かいつつあった新左派は非常に喜び、北京大や清華大の一部の学者は中国モデル論を鼓吹、外国の記者が提起した「北京コンセンサス」も中国で重視され、多くの新左派にとり、北京コンセンサスはワシントン・コンセンサスに対抗するものとなった。

もし中国が二〇〇八年から二〇一〇年の間に永遠にとどまっていたら、確かにすばらしかっただろう。自分もまた張のように、中国の経済制度こそ世界でもっとも優秀と考えただろう。だが残念ながら、その心躍る日々は二年間しか続かなかった。二〇一一年から、中国の発展モデルへの疑いが学界、民間で広がっていった。それは七月二十三日、浙江省温州市で起きた高速鉄道衝突事故がきっかけだ。人々は突如、中国経済の猪突猛進は、対価が大きすぎること、手段を選ばない発展、制度や法律、道徳に縛られない悪質な発展の結果は土地や大気の汚染、人心の荒廃など、予想できないほどの破壊を生んだと悟った。

二〇〇二年から二〇一二年までの十年に登場し、かつては人々を感激させた五輪、空母、有人宇宙船、高速鉄道などの記号は今日、国民を沸き立て、国民の精神を凝集することはできないと断言できる。この一年、民の恨みは沸騰し、少なくとも学界で中国モデルなどと言う人はいなくなった。「重慶モデル」の徹底的な破綻によりそれを支持した新左派たちは恥ずかしくていたたまれなくなり、張のような学者は耐え難い思いだろう。コース教授が助手の王寧教授と二〇一二年に出した『変革中国』（邦訳『中国共産党と資本主義』日経BP、二〇一三年）では、計画経済から市場経済へと華麗に転身したことへの陶酔は明らかに冷め、張の分析枠組みを批判、中国の経済制度は張が言うような世界でもっとも優れた有効なものではないと表明したのだった。

このようにコースの見方は大部分の経済学者の見方を代表したとは言えず、別の見方を見る必要がある。二〇一二年以来、中国の大多数の経済学者は中国をどのように見ているのだろうか。自分は専門的統計を持っているわけではないが、少なくとも中国を代表する経済学者は中国経済の現状について、国内では右派、左派を問わず悲観的だ。例えば左寄りの郎咸平、楊帆など、右寄りでは呉敬璉、張維迎、陳志武など、中間派では李稲葵、曹遠征などの間で、中国経済についての見方に大差はなく、中国経済は現在かつてないほどの問題と危機に直面していると見ている。

具体的には次のようなものである。（1）生産能力の過剰など深刻な経済構造（2）通貨乱発による流動性過多（3）莫大な地方債務（4）金融システムのリスクの蓄積（5）環境破壊―であり、中国の学者のほうが外国の学者よりも悲観的で慎重だ。二〇〇二年にゴードン・チャンが中国はやがて崩壊すると語ったとき、ほとんどの中国人学者は鼻で笑ったが、もし現在この話をしていたら、これほど多くの人が反対しただろうか。

中国の問題がもっとも重い場合は経済のハードランディング、あるいは大規模な経済危機だろう。一般的に中国の問題は総体的なもので、政治、経済、文化、道徳、環境、社会など各方面にわたる。筆者は二〇一二年「中国への十の問い」という文章で、中国が今後迎えるであろう十の問題を取り上げた。つまり合法性、権力の失効、腐敗、道徳の危機、情報伝達、司法の独立、公民社会、地方自治、重大な歴史、普遍的価値の問題である。この問題の核心となるのは政権維持の合法性の問題だ。

中国共産党は合法性を次の三つに置いている。すなわち（1）「鉄砲から政権が生まれる」という暴力革命による政権奪取、天下を取ったら君臨し続けなければならず、革命の大地を代々継承しなければならない（2）マルクス・レーニン主義から毛沢東思想、鄧小平理論、「三つの代表」、「科学的発展観」、「中国の夢」など党の指導理論の正しさ、これら一連の理論により現在の執政は正当であり合法性は取って代わることができない（3）改革開放以来の経済の実効性であり、経済を発展、近代化し、人民の物質と精神生活を大きく高め、もしこうした目標が実現できれば、長期政権を保つことができる――というものだ。

だが問題はこの三つのいずれもがかつてないほどの試練にさらされていることだ。まず、「鉄砲から政権が生まれる」ということは、別の人も同様に武力で政権を奪取していいことになる。これは中国史の「勝てば官軍、負ければ賊軍」の歴史を繰り返すことになる。次にマルクス主義の一部の理論は今でも有効かということだ。党内でも本当にマルクス主義を信じているのが何人いるのか。最後に、経済に頼った政権維持は、もし経済が下り坂になれば社会の矛盾を増大し、政治の不安定を生むことだ。

中国は確かに社会が全面的に転換する重要な時期を迎えている。中国の改革、転換は一九七八年ではなく、日本の明治維新と大差ない時期に始まっている。一八七七年、黄遵憲が日本を訪問、明治維新に衝撃を受け、中国の制度改革を考えるようになった。彼は『日本国志』を書き、日本政治の変化から、君主制から同君連合、さらに民主制への歴史的な趨勢を認識し、日本への考察から、清国政府に制度改革の模範を示した。だが黄が自らの時代に実現を希望した任務は現在になってもまだ実現していない。今はこの任務を完成すべき時になったのではないだろうか。

二　日本をどう見るか

　外国人は日本をどのように見ているのだろうか。二人の米国人が書いた本を読む価値がある。一冊は文化人類学者ルース・ベネディクトの書いた『菊と刀』、もう一冊はエズラ・ヴォーゲルの『ジャパン・アズ・ナンバー・ワン』である。この二冊は米国人の異なる時期における日本への認識を反映しており、前者は米軍が敗戦後の日本をどのように統治すべきかに合わせて書かれたものであり、日本民族の精神や信仰を知るためのものだった。後者は日本の高度成長への驚きから、日本の経験をまとめ米国への啓示とするのが狙いだった。

　中国人はどのように日本を見るべきか、黄遵憲が『日本国志』を書いて以来、中国人の日本への認識は黄をほとんど超えていない。もちろん、現在の情報量は百年前とは比べものにならず、学者の研究も専門化し、政治、経済、文化、教育各方面の日本研究の著述はおびただしい量になるが、一体人々の記憶に残る本は何冊あるだろうか。

　『日本国志』は、日本に学ぼうという態度から日本の歴史と変遷を研究したもので、これは日中関係の歴史ではじめてであり、それ以前中国は自分たちこそが日本の教師であると考え、日本もそれを認めていた。黄遵憲は日本を教師とみなしたが、このような態度を現在誰が持っているだろうか。民間では日本と聞くと「小日本」と馬鹿にした様子を取り、特に中国の経済総量が日本を上回り、より日本を気にかけることがなくなった。このような盲目的な夜郎自大は清末と大差ない。

自分は真に日本を理解したいとの思いから来日した。自らの観察と、それまでの知識を結合し、日本について初歩的な認識を得ようと考えた。自分はずっと、民間の日本への各種の誤解の責任は政府と学界にあると考えている。中国のリベラリズムの学者は、長い間日本への重視、特に明治維新以来の思想史の重視が不十分であり、彼らは西側の思想家の見方や方法を用いて中国問題を考えることに慣れており、西側の思想流派は熟知していても、日本の近代以来の思想についてはほとんど知識がない。

自分は友人に対して、中国の目で、中国の問題意識を持ち、日中を比較しつつ日本を観察したいと述べた。自分の日本への知識は限りがあり、見方も偏っていると思うが、読者に批評と修正をお願いしたい。

以下、四つの方面から日本の長所、日本の核心的優位性を指摘する。

第一に、日本の民族性、文化、生活方式、精神性は天皇制を中心に一体性を保ち、二千年以上、制度の変遷により実質的変化が起きなかった。こうした統一性を「小一統」と呼んで中国の「大一統」と区別したい。米国の中国史研究者、フェデリック・ウェイクマン〔魏斐徳〕は中国の長期的な統一方式（大一統）を中国特有の文明方式と呼び、中世に長期の分裂に陥った欧州と区別した。中国の統一は強力な中央集権専制により、国家権力の配置は上から下へと一貫した垂直型だ。日本の社会構造は大化の改新以降、国家権力の配置は中国よりは欧州のようであり、天皇は国家に対する実質的な支配権を失って、名義的な権威と法的な伝統を保っていたにすぎず、全国には諸侯が割拠した状態で、幕府の将軍と各藩の大名が実質的な統治権を持っていた。

問題は、日本の天皇の形骸化した状況が、もし中国や欧州で発生していたら、天皇の名義も権威も存在しなかっただろうということだ。だが、中国や欧州とは異なり、天皇の名義と法的伝統は廃止されず、多くの実質的な権力が交替したあとも保存されており、幕府将軍の権力はさらに大きかったが、天皇の座を狙おうとは考えていなかった。幕末期、各方面からの圧力を受け、徳川幕府は天皇に大政を奉還し、国家は天皇の統治という名義のもと群雄割拠を廃止し、国家統一を再び実現した。

明治維新後も、天皇の国家権力における役割は根本的な変化がなかった。天皇は権威があっても権力はなかったが、国家の統合や民族の凝集に決定的な役割を果たした。天皇は国家の制度が失効したとき、あるいは重大な危機に差し掛かったとき、決定的な役割を果たした。裕仁天皇は終戦の詔勅を発し、ポツダム宣言を受け入れ、福島原発事故では、明仁天皇は被災地を慰問、制度が果たすことができない役割を果たした。

天皇制は日本民族と国家の統合であり、物理的な力を通じてではなく、内在的な精神的な力を通じて、集団的な無意識や、心理的な文化を形成している。この精神の力は強大な凝集力を持ち、国家と社会の安定、民族共同体の一体性を保っている。これは日本社会が持つ内在的な優位性であり、さまざまな社会や自然の災難を乗り越え、エスニックグループの衝突や分裂を経験せず、国民が調和していることは深い印象を与える。

第二に、日本は伝統と近代、東洋と西洋の間の矛盾を比較的上手に解決し、異なる価値観の間の衝突が起きなかった。中国では清末に張之洞が「中体西用」論を提起して以来、中国と西洋の制度や価値観の共存、伝統と近代の協調の問題に取り組んできたが、今に至るも良い答えを見出していない。

日本は黒船事件以来、中国同様に日本と西洋、伝統と近代の関係に直面した。欧米の砲艦の圧力に直面し、日本は最初抵抗を選んだが、倒幕派は「攘夷」を行うことが困難であり、かつ西側の富国強兵制度を利用できると分かると、西側と協力する形で幕府に大政奉還を要求した。その前後の二十年間、日本の思想家は西側が制度、製品、技術が日本をはるかに上回っていると意識したが、自己の思想の核心的な地位を保つ必要があった。そこで佐久間象山は「東洋の道徳、西洋の芸術」、その後「和魂洋才」を提起、日本と中国が同じような問題意識を持っていることを表明した。福沢諭吉は脱亜入欧を提唱、一見全面西洋化論者のようである。だがある早稲田大学の教授は福沢は根っからのアジア主義者だと述べた。

　日中は欧米の巨大な衝撃に対して自己の思想や文化を保持しようと努力したが、思想文化と制度、製品、技術を厳格に分けるのは不可能なことで、せいぜい異なる思想と文化の衝突のなかでバランスを保てただけだった。明らかにこの面で日本は中国よりも上手だった。というのも、日本は西側の思想を導入したが国内では分裂や衝突が起きなかったからだ。中国のマルクス主義や社会主義思想は、ロシアからではなく日本から伝わったのがもっとも早かった。李大釗のマルクス主義への理解は日本の学者によるものだったし、中江兆民の唯物論が中国に与えた影響も大きかった。また『資本論』も中国人留学生が日本語版を翻訳したものだった。日本は中国のマルクス主義の思想の源だった。

　興味深いのは、日本は中国よりも先にマルクス主義や社会主義を取り入れたが、中国のように天地を覆す社会変革を起こさなかった。日本共産党は一九二二年に誕生したが、日本で共産主義運動は起こらなかった。戦後、各種の思想や信仰が混在、神道も仏教もキリスト教も、儒学も西学も国学も、国民がそれぞれ必要な物を取り入れる一方、社会的、エスニックグループの衝突を起こさなかった。東京の近代的な風格と京都、奈良の古い風貌は伝統と近代、東洋と西洋の協調を示している。

　第三に、日本は明治維新以来、立憲制度、文明開化、殖産興業により近代化の道を進んだ。この間対外侵略戦争という重大な偏りによって、他国だけでなく自国民にも重大な損害を与えたが、戦後は平和憲法により経済を発展させ、民主を重視し、近代化の道を再び進んだ。全体的に見て日本は近代百年あまりの間、世界の潮流に順応し、文明国家の姿を実現した。このような成績を得たのには、数代ものエリートたちの役割が大きかった。

明治維新では大久保利通、西郷隆盛、木戸孝允の維新三傑や、伊藤博文、山県有朋、東郷平八郎、大隈重信、福沢諭吉ら多くの政治家、軍人、思想家、教育者を生み出し、彼らの思想、行動が日本社会の転換の方法や方向を決定した。

中国にも近代人材がいなかったわけではない。近代化の第一人者と言われた曽国藩、左宗棠、胡林翼、彭玉麟、李鴻章、張之洞ら名宰相、戊戌変法を指揮した康有為、梁啓超、譚嗣同らエリートだ。しかし彼らは制度に問題があるなかで才能を発揮できなかった。

問題は旧制度がエリートの役割を束縛しただけでなく、エリートの命を奪ったことだ。戊戌変法が失敗後、清政府は譚嗣同ら六君子を殺害した。その後の国共の争いも、実質は政治理念や社会理想を異にするエリートの間の相互殺戮であり、共産党が勝利し終結したが、エリートたちの淘汰はその後の政治運動のなかで繰り返された。エリート層の破壊、これが中国の近代化の歩みが遅かった重要な原因だ。

一方日本では、エリートは明治維新以来、制度の変遷と社会の進歩を主導し、党派の争い、社会の衝突、さらには対外戦争に巻き込まれ解体、破壊されることはなく、エリートが制度により傷つけられ、あるいは傷つけあうことはなかった。エリートは国家建設について基本的な共通認識があり、日中戦争が勃発後もエリートは左右を問わず、基本的には戦争体制のなかに巻き込まれ、国家を支持する力となった。こうした状況は戦後学界から反省が起きたが、エリートは異なる理念や価値観により根本的な分裂が起きることはなかった。戦後日本の再建は、吉田茂首相により進められ、エリートが国を治める伝統となり、近代化を急速に進める上で決定的な役割を果たした。

このように日中両国はエリートの形成、エリートの役割において大きな差異があり、これは国、制度、人材の競争として非常に研究に値する問題だ。

第四に、国家の発展や文明の程度は、制度や技術、文化、教育などのほか、国民の素質、つまりは国民性を見なければならない。日本に来て、国民性や国民の素質の上での中国との格差を感じた。中国の知識層は国民性の教育に早くから関心を持っていた。魯迅による阿Qの「精神勝利法」の描写は、中国の国民性についてのもっとも深い分析だった。だが魯迅が死んで七十年以上たち、国民性は進歩したのだろうか。現在まだ精神勝利法が中国国民の精神を主導しているのではないか。中国は強大となり、国民の豊かさも向上したが、現在の国民性が民国時代と比べ進歩したとは考えていない。中国の全体的な道徳の堕落はかつてないほどであり、国民の近代的人格や近代的精神は物質面での豊かさにより生まれていない。

日本に来てから、日中両国の国民性、国民の総合的素質の面で、差が非常に大きいことを深く感じた。中国人は日本人の総合的な素質をすでに理解している。福島原発事故後、日本国民が災害に直面して見せた落ち着き、自律、秩序、助け合いがテレビで放送され、中国人に深い印象を与えた。現在考察に値するのは、日本の国民性はどのように形成されたのかということだ。

明治維新の主な任務は、立憲制度、富国強兵、殖産興業のほか、文明開化が福沢諭吉の文明間での核心的な追求だった。福沢は文明を野蛮と対比、人々の進歩を混沌、野蛮、未開、文明開化の四段階に分け、欧米列強を文明国家、中国と日本を半開化国家、オーストラリアとアフリカを野蛮国家とした。福沢の提起した脱亜入欧は、実質は欧米に学び、教育を興し、国民を開化し、新知識や新道徳を得ることだった。「権利自由、独立自治」を校訓とした明治大学のように、明治期の重要な成果は、東京大学、早稲田大学、慶応大学、法政大学、京都大学などを設立したことで、いずれも百年もの歴史を持ち、日本の国民性を作り上げるための基礎を作った。

　日本の国民性について言えば、自律、礼儀、清潔、真面目、細かさ、時間を守る、仕事を尊ぶ、忠誠、協力などの言葉が浮かぶが、もっとも突出しているのは日本人の真面目さだ。来日し宿舎への入管室手続きの際、管理員は各種の注意事項や手渡す物品などの説明に二時間近くをかけ、本当に疲れてしまった。毛沢東はかつて、世界でもっとも恐ろしいのは「認真」〔まじめ〕の二文字であり、共産党員はもっとも真面目を大事にすると言ったが、真面目ならばなぜ延安時代に約束した憲政を実現しないのか。自分は日本人こそこうした真面目に取り組む精神を持っており、責任があり、精緻で、学業や仕事を重んじ、時間を守る素質を持っていると考える。日本に来た中国人は、日本の地下鉄の正確なことを不思議に感じる。なぜ中国ではまったくできないことが、日本では当たり前なのかと。こうしたことは日本人の仕事や生活に溶け込み、文化や国民性の見本となっている。

　以上は日本について好意的な評価であり、四つの核心的な優位性だが、日本に批判的な意見も述べたい。日本も他の国家同様、完全ということはなく、歴史上重大な誤りを犯し、世界特に中国に対して大きな損害を与えた。現在日本は制度、思想、価値観、国民性などに欠点や限界があり、日本の国民や知的エリートはこうした問題を反省しようとしている。中国の学者として、中国の視野から日本の問題を見てみたい。

（1）日本は歴史観や歴史価値観を省みる必要がある

日本は歴史観や歴史価値観について深く省みる必要がある。歴史観とは歴史への見方や事実判断であり、歴史価値観とは歴史への評価や価値判断である。東アジアの問題は領土の争い、イデオロギーの争い、国家利益の争いがあるが、突き詰めれば異なる歴史観や歴史価値観の争いだ。

日本は明確な歴史観や歴史価値観があり、例えば神道の歴史観、天皇への崇拝、死者への尊重などであり、このアジアの他の国とは異なる歴史観や歴史価値観により日本は第二次大戦について異なる尺度を持っている。日本の歴史家を含む多くの人は、中国に対する戦争を侵略戦争とは認めていない。彼らは日本の歴史観から、あの戦争をアジアが欧米に抵抗した正義の戦いと考えたがっている。靖国神社参拝問題は、長期にわたり日本と中国、韓国や他のアジアの国との関係の妨げとなっており、特に最近数年、日中関係の障害となっている。罪人だろうと誰でも、死んだら後の人々から崇拝されるべきだという歴史の評価尺度は日本人の心のなかでは絶対に正しい道理であり、民族精神の一部なのかもしれないが、このような歴史観で中国や韓国を説得し、靖国神社にA級戦犯が祀られている事実を受け入れさせるのは国際的な正義と言えるのだろうか。中国や韓国の国民の感情の要求に沿うものだろうか。

百年近くの間、日本は中国に二度戦争を発動した。最初の甲午戦争〔以下日清戦争〕で日本は中国に勝ち、下関条約により多くの賠償金と台湾を手に入れ、中国に多くの苦痛を与えた。だがこの戦争は客観的には中国社会の転換を加速した。中国の有識者は日本のような憲政の道を進み、政治制度改革を進めなければならないと認識したのだ。この意味で、日清戦争は中国社会、政治の転換に必要な対価であり、日清戦争がなければ、清朝の崩壊は遅れただろう。

だが、日中戦争は意義がまったく異なる。それは中国がすでに入っていた憲政のプロセスを中断させ、確立し始めていた政治秩序や社会のバランスを破壊し、窮地に追いやられていた共産党武装勢力に千載一遇のチャンスを与えた。日中戦争により、中国社会はリベラリズムの憲政革命から離れ、まったく違った道、つまり共産主義革命へと取って代わってしまったのだ。

多くの日本の政治家や学者は、日々強大化する中国が日本の国家安全やアジアの国際秩序へ与える影響を懸念する。だが日本の政治家や学者が心配する、強大だが憲政を行おうとしない中国は一体どのようにしてできたのか。もし日本が侵略戦争を発動しなければ、中国はどのような状況となり、日中関係はどのような局面になっていただろうか。

当然、歴史は仮定の下に書くことはできず、歴史は再び過去に戻ってやり直すことはできない。ある東京大学の教授との討論でこの問題を提起した。自分は日本が近代の百年間の歴史を反省し、日本の行為がアジアの秩序にどのような影響を与えたのか、特に中国というアジア最大の国への侵略がどのような結果を生んだのかを深刻に反省する必要があると述べた。もしこのような歴史の尺度や基準から日本がアジアにおける位置と役割を考えず、自国の歴史観、歴史価値観にこだわって歴史が残した問題を見ていたら、日本は行き止まりから永遠に抜け出すことができない。日本はこうした問題について深く考える必要がある。

（2）日本は大局観や世界観を省みる必要がある

日本人は細部にこだわるあまり大局を見誤り、視野が狭いと言われる。日本の限界は自国の歴史観や歴史価値観から物事を見て、大局観や世界観に欠けていることだ。日本は古今東西の問題を良好に解決したと述べたが、これは社会の深化と国内の多元化した思想の整合においてであり、一方で世界認識において、島国意識ゆえに明治維新以降の世界に融合できず、アジアの指導者の役割を担うことを期待したが実現できず、戦後はなおさら世界での主導的責任を果たすことができなかった。

古代史から見ると、日本の初の世界観は中国を対象とし、いかに中国との関係を処理するかということだった。中国は日本の文化的母国として、日本に深い影響を与えた。だが日本は実際には中国の朝貢体系には入らなかった。聖徳太子による遣隋使は日本が中国と平等な国家の地位を求め、中国の宗主権を認めようとしなかったことを表しているが、否定できないのは、中国が制度、思想、礼儀などで日本が国家を形成する上で決定的な影響を与えたことであり、日本は近代以前中国の制度や文化に挑戦できなかった。

だが明治維新以来、日本の中国への見方は根本的な変化が生じ、日本は新たな世界観を持ち、新たな先生を見出し、脱亜入欧とはつまり中国から離れることだった。福沢諭吉の文明の体系により、中国は日本の悪しき隣国となり、日本はアジアの新たな指導者としての役割を与えられ、中国に代わりアジアの真の文明の中心になるとの見方が生まれた。

日本はこれができただろうか。近代以降二度の中国に対する戦争は、日本を中心とする大東亜システムと東亜新秩序を打ち立てるのが目的だった。だが事実が証明するように、日本はそれをできなかった。

その理由は明白だ。日本がアジアを統合する新たな思想的資源を準備していなかったからだ。脱亜入欧、あるいはアジア主義にしても、中国文化の影響力を超えることはできなかった。日本は戦争という方式により自らを中心とするアジアを強制しようとしたが、これは自滅への道だった。

戦後日本は世界第二の経済大国となり、一九八〇年代には米国全体を買収できるほどの勢いだったが、その経済発展を誇っていたとき、世界に対して普遍的意義のある価値体系を提供できなかった。日本はアジアにおいて、正確な歴史観と歴史価値観を持ってアジアの国家に直面していない。自ら発動した戦争がアジアに与えた破壊という基本的な事実に対して、誠実に向かい合うことができず、自ら担うべき歴史的責任を避けようとしてきた。このような状況で、日本はどうしてアジアの指導者になれるだろうか。遅れた国に金銭を提供できるほかに、何を提供できるだろうか。

ドイツのシュミット元首相が最近、中国と日本について、中国も日本もアジアに友人がいないと述べた。中国と日本はいずれもアジアの主導的国家になることを望んでおり、実際にそのようになるべきだが、なぜいずれもアジアに友人がいないのだろうか。

ドイツは二度も戦争を発動し、欧州や全世界に過去にないほどの破壊をもたらしたが、戦後は廃墟から国家を再建、経済を発展させ、欧州の主導的地位を得たのはなぜだろうか。

（3）社会のエリートの責任と使命を深く省みる必要がある

先ほど近代日本でエリートが果たした重要な役割を指摘したが、一方、日本が犯した重大な誤りや寄り道は、いずれもエリートの誤った決定や参加と関係がある。日本のエリート、特に知的エリートは、日本近代の重要な局面で、あるべき批判精神を発揮できず、国家利益を超越した歴史的役割を果たすことができなかった。

いかなる国のエリート、特に知的エリートは一般に二つの面の役割を担わねばならない。すなわち批判的なもの、制度の弊害や人間性の欠陥、社会の問題などを発見し、最終的にこれを克服し合理的な解決策を提供すること。もう一つは建設的なもので、国家建設、民族復興、経済発展、社会統合のため実行可能な道筋を切り開き、有効な政策実現のため努力することだ。知的エリートの批判性と建設性は同時に存在し、一つでも欠けてはならず、こうしてはじめて〔国家に対して〕適当な緊張関係と、正確な指導を保つことができる。

明治時代の日本の知的エリートは国家のあり方や方向性を議論する際、はっきりと異なる見方を持っていた。最初のアジア主義者は、日本が全面的に西洋化する思潮に対し警戒かつ反省し、中国の文化価値を核心とするアジアの価値観を自覚していた。だが日中間の衝突が軍事衝突や領土紛争となるにつれ、多くのアジア主義者は帝国主義的立場へと転向した。例えば福沢諭吉は日清戦争を「文明と野蛮の戦い」と呼んだ。アジア主義の代表的人物、陸羯南は中国文化を崇拝していたが、日清戦争が始まると清朝を東洋一の野蛮国とみなした。もう一人の「国民思想家」徳富蘇峰は日清戦争を「文明の光が野蛮な社会に投射された」と述べた。日本のアジア主義が本来主張したのは西洋思想を牽制することだったが、国家利益の前にはまったく無価値となり、アジア主義者は日本主義者となり、のちの大東亜主義とは大日本主義にすぎない。

現在、多くの日本の知的エリートは日清戦争について反省し、この戦いに勝利してから、日本は帝国主義拡張の道を進み、それは日本の失敗への道だったとみている。日本が中国に二度目の侵略戦争を発動する前、国内には左右さまざまな声があったが、戦争により知識界の異なる声は聖戦を支持する熱狂のなかに埋もれていき、右も左も国家主義者となり、内藤湖南の東アジアの現代的な思想も軍によって利用されてしまった。

日本の知的エリートは近代百年の重要な転換点であるべき批判精神を発揮できず、国家利益から独立した歴史的責任を果たせなかった。ここまで言うと、知識人は国を愛してはいけないのかという意見が出るだろう。こうした意見に筆者が言いたいのは、ヒトラーがドイツの統治権を掌握してから、多くの知識人がドイツを離れ、例えばフランクフルト学派はすべてが米国へと移住したが、いかなるナチスの正当化にも加担できないと考えたからであり、ドイツに残ったハイデガーはナチスに奉仕し、その結果名誉を失った。

日本は新たな発展の転換点に来ており、その直面する問題は日中関係にとどまらない。日本がアジアや世界でその国力に相応する責任を果たせるかは、政治家だけでなくエリートにとっての試練である。日中関係について言えば、両国がそれぞれナショナリズムや民意に乗っ取られ、操られているが、直面する問題を解決するのに、民意に訴えることで解決できるだろうか。国民投票や国際司法裁判所に頼れるのか。もし中国で国民投票をやれば、軍に「釣魚島」〔尖閣諸島の中国語表記〕を奪回することを要求するだろう、日本も同様な結果となり、民意に訴えたら日中は第三次戦争が起きるだろう。これは人々が望む結果なのか。現在の日中関係の問題の鍵は民衆の手にはなく、少数の政治家にある。政治家が民意を思うままに利用し目的を果たそうとすれば、これは国家を行き詰まりに導くことになる。知的エリートは歴史上犯した誤りを再び犯してはならず、学者としての良知や独立性を保ち、国家や民族、歴史のために正しい道を開かねばならない。

三　日中関係をどう見るか

今回日本に来て、多くの友人、官僚、政治家、学者らと会い、同じ問題を聞いた。つまり日中関係をどう見るかということだ。その答えはいずれも比較的悲観的なものだった。

二〇〇六年、安倍首相の訪中「破氷」の旅に続き、温家宝首相の来日「融氷」の旅、福田首相の訪中「迎春」の旅、胡錦濤国家主席の来日「暖春」の旅と続き、二〇〇八年は両国関係が最高潮を迎えた。だがその「暖春」は長く続かなかった。日本の外務省の説明では、二〇〇八年末に中国の海警船が尖閣諸島の海域にはじめて進入、その後続く衝突のきっかけとなり、現在の氷点へと陥った。今日、二〇〇八年の「暖春」はまさに隔世の感がある。

日中関係がなぜ行き詰まってしまったのか。日中間の答えは異なるだろうが、正常化を阻害しているのは主に三つの問題、すなわち、歴史問題、尖閣諸島問題、靖国神社参拝問題だ。この問題がなぜこれほどまでにこじれてしまったのか。日本外務省の幹部の説明は次のようなものだ。

まず一つは時代が変化したことであり、田中外交が〔一九七二年〕日中国交正常化を一気に解決したように、日中関係はかつて政府レベルのみに限られていた。だがこのような外交はもはや通用しない。ネットにより人々が十分な情報を得たことで、政府が独占していた情報が公共のものとなり、少数による外交は大衆が関心を持つ問題となり、外交は民意を常に重視する必要が生まれた。

第二に、日中間の衝突は突き詰めれば利益の衝突であり、もし領土に固執していたら、両国ともに譲歩の余地はない。これまでは調停の余地があったのは、両国が鄧小平のいう争いの棚上げという原則を守ったからであり、尖閣諸島というボトムラインに触れることはなかった。だがもしこのバランスが崩れると、衝突は避けられない。

第三に、日中両国の政治家がナショナリズムを利用し、揉め事を起こして国内のナショナリズム的感情を刺激することで、ある種の政治的目的を達しようとすることだ。

この外交官が指摘した原因は理性的で的を射ており、日本政府の立場だけから問題を見ていない。第二の原因について言えば、以前筆者は微博に書いたことがあるが、日中間の争いは利益の争いではなく、歴史観や歴史価値観の争いである。なぜなら日中間の利益の一致性はその分岐よりもはるかに大きく、日中は利益共同体になっており、両国の経済的連携や総貿易額はそれぞれの国家において上位を占めている。尖閣諸島あるいは釣魚島は日中関係のなかで一体どれだけの利益を占めているのか。尖閣諸島で戦争をし、どちらが勝ってもどれだけの利益があるのか。それぞれがマイナスの利益となり、双方が負けになる可能性が高い。

自分が日中の争いを歴史観や歴史価値観の争いだというのは、政治家たちに、国家利益を守るとの名義で行う外交政策が、本当に国家の最大利益を守っているかを注意喚起したいからだ。独立した立場の学者としては、民意と政治家に縛られ、巻き込まれることから抜け出すことがもっとも必要だ。

時代は確かに変化しており、日中両国はきわめて変化の速い時代に直面している。一九七八年に鄧小平が日本を訪問、新幹線に乗ったとき、世界にはこれほど速い列車があるのかと驚き、日本経済の高成長と近代化の程度を身をもって感じ、両国間の巨大な格差から、鄧小平は中国は必ずや改革開放を進めねばならないという緊迫感を持ったのだった。鄧小平が帰国後、中国共産党は第十一期三中全会を開き、改革開放の基本路線を決定した。約三十年を経て、中国の経済規模は日本を上回った。京都に新幹線で訪れたとき、私は鄧小平のような驚きは感じなかった。日中間の巨大な変化はわずか三十年間に起こり、この変化は我々の思考の速度をはるかに上回った。だがこのような時代に、我々は以前の思考にとどまって問題を見ているのではないだろうか。

日本共産党の幹部と話したとき、彼は安倍首相への提言として、現実を正視し、アジアの情勢やアジア各国の関係を正確に認識し、日本がかつてのようにアジア最強の国家でないことを認識すべきだと述べた。また日本が中国を見る場合、中国の主流メディアに惑わされることなく、中国には各種の声があることを認識する必要があると述べた。

同時に中国に対して、ナショナリズムの感情を抑え、これを刺激せず、歴史の細部にこだわらず、現実から出発しなければならないと述べた。そして日中両国の強硬派はお互いに対立しているように見えて、お互いに支え合っており、相手への反対の声のなかで自らの影響力を高めていると述べた。

この幹部は三つの提案をした、つまり（1）尖閣諸島、あるいは釣魚島問題は、時間がかかるが外交を通じてのみ解決が可能だ（2）いかなる時にも武力を用いた問題解決をしてはならない（3）この小さな問題ゆえに日中関係の大局に影響を及ぼしてはならず、両国トップが交流をしないのは、非常に理知的でないやり方だ。私は彼の見方は非常に客観的で公正であり、大多数の日本人の見方もこのようだと信じる。

またある東京大学教授の話では安倍首相の支持率は五十数パーセント、自民党は四十数パーセントだが、靖国神社参拝に対しては支持が三十五パーセント、不支持が三十六パーセント、そのどちらでもないが三十数パーセントだった。安倍首相への支持率は主にアベノミクスが成果を上げたことで経済的な要因が主であり、日本国民は全体的には理性的で、ナショナリズムの熱狂に巻き込まれておらず、またそれを望んでいないという。

日本に来て見聞きし、日本への元からの印象を強めた。つまり日本は豊かな国家というだけでなく、文明的な国家であり、中国に比べはるかに公平公正な国家だということだ。日本のジニ係数はわずか〇・二八五で、政治の清廉さや透明さは世界でも最前列の三十カ国に入り、政治に腐敗はないとは言えないが、有効にコントロールされている。このような国が再び戦争の道を進むとは考えられない。多くの日本の友人は、日本でどうやって軍国主義が起きるのか、愛国主義すらないと私に語った。

一方中国を見ると、愛国主義の旗印の下、二つの主義が非常に高まっている。ナショナリズムとポピュリズムであり、これと相応する二つの感情が非常に高まっている。つまりは革命の感情と戦争の感情だ。ナショナリズムの旗印を掲げ、街をデモし、日本に抗議し、日本製品をボイコットし、さらには破壊行為をする人々は、大多数は中国の底辺で生活し、国家の発展からいかなる利益も得ていないのであり、彼らは内心では、戦争や革命により現有の権力や利益構造を転覆したいと思っており、現有体制では変えることができない生活の状態を再び変えたいと思っているのだ。

それゆえもし誰かがナショナリズムやポピュリズムを利用しようとするなら、そのリスクは非常に大きなものであり、今日日本に向けて点けられた怒りの火が明日には尖閣諸島ではなく、中国の政府の建物に引火するかもしれない。民意を利用できると考えてはならず、真の民意はそれを操ろうとする者の手にはないのである。

自分はかつて、日本には内政問題はなく外交問題があるだけであり、中国は内政問題があるだけで外交問題はないと述べたことがある。これは確かに極論で、日本には福島原発事故の処理など内政問題も抱えている。だが日本は国家の分裂や制度の顚覆が起きるほどの問題はなく、主要な問題は外交である。一つは日米関係、もう一つは日中関係だ。日本の生存空間や資源は外部に頼っており、外交は立国の基本だ。一方中国では、重大な制度や社会の問題が大量に存在し、長年蓄積した矛盾が爆発する可能性がある。中国の外交は内政の外延だが、今や外交政策は日中関係で行き詰まっているだけでなく、その他の国際問題でも受け身になっている。かつて中国の友人は世界に広がっていたが、今本当の友人はいるだろうか。北朝鮮、シリア、ロシアか。北朝鮮にしても、あれだけ多くの支持をし、多くの対価を支払ったが、そこからどれだけの戦略的利益を得たのだろうか。

日中両国は異なる歴史観、歴史的価値観、異なる制度、異なる文化や民意の基礎ゆえに、確かに両国間の歴史的な問題を根本的に解決するのは困難だ。民意の支持に訴えるにせよ、政治家の智慧に訴えるにせよ、歴史問題を解決する正確な道筋や方法は見出せない。日中は戦争のほかに他の選択がないのか。日中両国人民が代々友好を続けていくのは実現不可能な夢なのだろうか。この問題の答えは皆さんにお願いしたい。

だが筆者が期待するのは、ネット技術が国家、制度、民族、種族、地域、文化の差異やそれによる歴史観や歴史価値観の差異を取り除いたことであり、人類の共通認識や普遍的価値は空気のように、欧州、米国、アフリカからアジアの上空へ流れ、そして中国と日本の国土も覆っていることだ。このことからも中国と日本は共通の問題を解決し、真の友好の隣国となれると確信している。

監訳者あとがき

ウクライナ戦争の勃発で世界の国際秩序が激しく揺れ動くなか、東アジアの国際関係も同様に危うい変動を余儀なくされている。その開戦前夜、プーチン大統領が冬季北京オリンピックの開会式に突如その姿を現し、この巨大なスタジアムの広大な観客席を独り占めにしつつ、満面に不適な笑みを浮かべていたことはなおも記憶に新しい。だが、われわれがここで問うべきなのは、そのプーチン大統領による行動の異様な大胆さではなく、むしろこの舞台演出を可能にした習近平政権の拠って立つ社会的基盤とはいったいいかなるものなのか、ということであろう。この二つの大国がお互いの政治的思惑の根底で、なんらかの同じ性格の社会的基礎を共有していることは誰の目にも明らかであるにもかかわらず、いずれの社会も言論や表現の自由が極度に抑圧されていることから、その実態を窺い知ることはきわめて困難な状況にある。本書は、そうした厳しい言論統制下に置かれた現代中国社会の内部から発せられた、今もなお抑圧され続けている知識人たちの貴重な「良心の声」の一端を示すものである。

すでに十年目を迎えた習近平政権は、二〇二三年七月、新たな反スパイ法（改正）を成立させ、その対外的言説空間の閉鎖性をますます強めている。こうしたことを時代背景として、社会的状況はすでに文革の時代に戻ったという人がいれば、さらに辛亥革命前夜の清末にまで逆行してしまったという人もいる。著者栄剣氏は、これまで長年の間、そうしたきわめて狭く、かつ極度に制限されたネット上での言説空間で発言しては削除され、また発言しては削除されといった当局との「イタチごっこ」を強いられてきた。とりわけ同氏は、いわゆる「お茶を飲まされる」(当局の監視下に置かれ取り調べを受ける)身の上であるにもかかわらず、その限られた言説空間の下でリベラルな発言を果敢に続けている、きわめて稀な「体制内」知識人の一人である。こうした習近平時代における中国国内の政治的状況について張博樹氏は、鄧小平以降の「権威主義」と部分的に重なり合いつつも、それとは質的に区別された政治体制を「新全体主義」と呼んだ(張博樹『新全体主義の思想史』白水社、二〇一九年)。習近平政権は、閉塞した言論抑圧的政治体制の下、ゼロコロナという極端な政策を長期にわたって実施してきたが、その結果、白紙運動のような大きな社会的反発を招きつつも、それすらも完全に抑え込んでしまうという見かけ上の「安定」を維持している。いずれにせよ、現代中国社会の危機と希望とを同時に内包しているように見えるこの政権は、八〇年代以降使われてきた「権威主義」体制という言葉では、もはや十分にとらえきれない新たな性格を帯びていることだけはたしかである。

かつて藤田省三は、二十世紀とは「全体主義の時代」であり、それは「戦争の在り方における全体主義」、「政治支配の在り方における全体主義」、さらに「生活様式における全体主義」という三つの形態に分類されるとした。歴史上一般的に知られている第二の形態とは、本書でも繰り返して言及されたハンナ・アーレントによる深い洞察によって知られているが、いまだに繰り返し再生産されている第三の形態としては、むしろ日々の日常生活に内在しているという点で人類史的意味合いを帯びた「安楽への全体主義」であると理解すべきであろう。この点では、栄剣氏の眼にも、あるいは藤田と同じように、「全体主義の経験の消滅」すらも「経験」しつつあるのが現代世界であると映じたのかもしれない。潜在的に脅威をもたらす未知の経験を回避しようとする現代人の心性、すなわち「安楽への自発的隷属」とは、いったいいかにして生まれ、かつ生まれ続けるのだろうか。七〇－八〇年代の高度経済成長、さらに九〇年代以降のグローバルな規制緩和に伴うネオ・リベラリズムの蔓延によって、われわれはそうした「全体主義の経験」を拒否しさえする精神史的「断絶」を招いてしまったのではないか。こうした日本社会を人類史としての二十世紀史への深い洞察で見据えた藤田の姿には、栄剣氏のそれと重なり合うものが少なからずあるように筆者（石井）には思えてくるのである。

　では、こうしたグローバルに展開する全人類の精神史的趨勢の中で、われわれ日本人は中国の隣人としていったい何ができるのであろうか。ここで栄剣氏のわれわれに対する厳しい眼差しは、真摯に耳を傾けるのに十分な価値を有している。たとえば栄剣氏は、われわれの歴史的価値観そのものが歴史への評価や価値判断であることを忘れたいという欲望に駆られていると指摘している。たとえば、神道の歴史観、天皇への崇拝、死者への尊重などにわれわれ日本人の「民族精神」が具現化されているのだとすれば、このアジアの他の国とは異なる歴史観や歴史価値観により、その象徴的存在としての靖国神社参拝問題に見られるように、それは長期にわたり日本と中国、あるいは韓国や他の周辺アジアの国々との関係の妨げとなってきたのだという。とりわけ先の日中戦争は、民国期にはすでに入っていた憲政のプロセスを中断させ、この時点ですでに確立し始めていた政治秩序や社会的バランスを破壊したことで、当時、すでに窮地に追いやられていた共産党武装勢力に千載一遇のチャンスを与えてしまったのである。いわく、「日中戦争により、中国社会はリベラリズムの憲政革命から離れ、まったく違った道、つまり共産主義革命へと取って代わってしまったのだ」。

　たしかに、ますます強大化する中国が日本の安全保障やアジアの国際秩序に対する脅威となっているがゆえに、そのことに少なからず懸念を表明することは、けっして理由のないことではない。だが、こうした強国であるにもかかわらず、いっこうに憲政を行おうとしない中国を生んでしまった責任の一端は、たしかにわれわれ日本にあるともいえる。毛沢東は共産党政権の成立をめぐり「(敵の敵としての)日本の軍国主義に感謝する」という皮肉な言葉を残しているが、それは逆に言えば、もし日本が侵略戦争に乗り出しさえしていなければ、中国は憲政に基づく、より自由で民主的な社会をもっと早くから実現できていたかもしれないことを示唆しているのである。

もちろん、歴史に「if」はあり得ないし、再び過去に戻ってやり直すこともできない以上、過去にばかり目を向けて延々とその責任を追及し続けることがそれほど建設的であるとも思えない。したがって、われわれにできることがあるとすれば、それは栄剣氏が指摘するように、こうした歴史の尺度や基準からわれわれが再びアジアにおける立ち位置と役割とをとらえ返し、本来の意味で開かれた世界観を取り戻すことなのかもしれない。いいかえれば、世界に対して普遍的意義のある価値体系を提供できるようになれば、われわれ日本と中国は、アジアや世界においてお互いにふさわしい役割と責任を果たせるようになるかもしれないということである。たしかに、日中双方の社会が、いまなお不健全なナショナリズムやポピュリズムに左右されているように見えるのは事実である。しかも、それぞれの言説空間がそれらに容易に操られているのだとすれば、われわれが同じように直面する課題を解決するために、「下から」の民意に単純に訴えることで解決できるのかといえば、それも疑わしいと言わざるを得ない。しかしながら、われわれとしては、今回の出版を契機に、改めて日中双方の労働者・市民、ジャーナリスト、大学人など、知的誠実さとその責任を広く担った人々との間でのさまざまなレベルでの「社会的対話」が今後とも促進され、相互の不毛な対立状況が少しでも改善されることを願ってやむことはない。

いうまでもなく、中国における出版事情は、とりわけ習近平政権が成立した二〇一三年以降、ますます厳しさを増している。文革が終結し、改革開放政策が進む中で、中国共産党の権力闘争の内幕を暴くといった一見して「怪しげ」だった中国共産党関連書籍は、一九八〇年代以降、とりわけ香港の書店で容易に手に入るものだったが、それがいわゆる「香港情報」、すなわち中国研究におけるもう一つの判断材料として長く読者を獲得し、入手困難な貴重な情報の一部として使われてきたのも事実である。ところが、二〇一〇年くらいを境にして、中国国内の「体制内」リベラル派知識人による良質な言説は、中国国内の書店ではいつの間にかまったく見られなくなり、やがてこうした良質な研究書が、むしろ香港のかつての「怪しげ」な書店でのみ入手可能となるという状況へと変化していった。たが、「雨傘運動」（二〇一四年）、「逃亡犯条例改正案反対運動」（二〇一九年）を経ると、香港ではそうした学術研究書すらも入手できなくなっただけではなく、良心的書店の多くが閉店を余儀なくされる状況にすら追いやられてしまったのである。その後、本書が中国でも香港でも台湾でもなく、中国共産党にとって最も敵対的とされる「西側」の代表、アメリカのニューヨークで開いた小さな出版社から、その最初の何冊かの一冊として、しかも中国語で出版されたという特殊事情は、ここできちんと想起されてしかるべきであろう。

　こうしたなかにあって、とくに栄剣氏とはたんに面識があるという以上の友人関係にあり、ことほど左様に困難な状況のなかでも何らかの付き合いをひそかに、しかも着実に続けてきたわれわれ翻訳者一同としては、さまざまな障壁を乗り越えて、しかるべき時期にしかるべき本が上梓できたという歓びと感慨で一杯である。今回の出版に際しても、白水社、とりわけ編集担当の竹園公一朗氏には、いち早く本書の出版に同意していただいただけでなく、編集・出版をめぐるすべての局面で、いつもながらの献身的作業を通して、最初から最後までたいへんお世話になった。このことに対して、この場をお借りして、改めて格別なる謝意を表さなければいけないであろう。

　最後に、本書の出版は、日本学術振興会の科学研究費賛助事業基盤研究Ａ：「中国農民工の組織化をめぐるガバナンス構造の変容――中華全国総工会と労働ＮＧＯとの関係性をめぐり」（二〇二〇－二〇二四年）の研究成果の一部として実現できたことを記しておきたい。

二〇二三年七月十四日、明治大学国際労働研究所にて

石井知章

及川淳子（おいかわ・じゅんこ）＝序・第二章

　東京都生まれ。日本大学大学院総合社会情報研究科博士後期課程修了。博士（総合社会文化）。中央大学文学部教授。主な著書に『現代中国の言論空間と政治文化』（御茶の水書房）、『文化大革命』（共著、白水社）、『六四と一九八九』（編著、白水社）、訳書に『劉暁波と中国民主化のゆくえ』（共訳、花伝社）、廖亦武『銃弾とアヘン』（共訳、白水社）、『新全体主義の思想史』（共訳、白水社）、『赤い帝国の論理』（共訳、白水社）他。

大熊雄一郎（おおくま・ゆういちろう）＝自序・第十一章・第十三章

　共同通信社記者。2009 年共同通信社入社。社会部、外信部を経て 2011 年から 2015 年にかけて、中国総局で反日デモや党幹部失脚、香港「雨傘運動」などを取材。2017 年、再度中国総局に赴任し米中貿易摩擦、香港大規模デモ、武漢新型コロナ流行、中国共産党結党 100 年、北京冬季五輪等を取材。第 20 回党大会をめぐるスクープなどが国際報道に貢献したと評価され、「ボーン・上田記念国際記者賞」（2022 年度）を受賞。

古畑康雄（ふるはた・やすお）＝第五章・第八章・補章

　1966 年生まれ。共同通信社勤務、愛知大学非常勤講師。1989 年東京大学文学部卒業後、共同通信社に入り、1997 年から北京の対外経済貿易大学に語学研修留学。2001 年から 2016 年まで同社の中国語ニュースサイト「共同網」を企画、運営。著書に『習近平時代のネット社会』（勉誠出版）、『「網民」の反乱』（勉誠出版）他。

村上太輝夫（むらかみ・たきお）＝第十章・第十二章

　1966 年生まれ。東京大学法学部卒業。1989 年朝日新聞社入社。中国総局員（北京）、国際報道部次長、台北支局長などを経て現在、論説委員、共立女子大学非常勤講師、明治大学兼任講師、日中関係学会理事。共著に『台湾を知るための 72 章』（明石書店）他。

劉燕子（リュウ・イェンヅ）＝第四章・第六章

　現代中国文学者。博士（学術）。湖南省出身。神戸大学などで教鞭を執りつつ（非常勤）、日中バイリンガルで著作・翻訳。藤原書店から『天安門事件から「〇八憲章」へ』（共著）他、集広舎から『中国低層訪談録』（編著訳）、『殺劫』(共訳)、『劉暁波伝』（編訳）、『マオイズム革命』（編訳）他、書肆侃侃房から『劉暁波詩集』他。中国語の著訳書多数。

訳者略歴

石井知章（いしい・ともあき）＝監訳・第一章・監訳者あとがき

1960年生まれ。早稲田大学大学院政治学研究科博士課程修了。博士（政治学）。共同通信社記者、ILO（国際労働機関）職員を経て、現在、明治大学商学部教授。主な著書に『現代中国政治と労働社会』（御茶の水書房、日本労働ペンクラブ賞受賞）。『中国革命論のパラダイム転換』（社会評論社）、『文化大革命』（編著、白水社）他、訳書に張博樹『新全体主義の思想史』（共訳、白水社）、マルクス『一八世紀の秘密外交史』（編訳、白水社）。

阿古智子（あこ・ともこ）＝第三章

1994年大阪外国語大学外国語学部中国語学科卒業、1996年名古屋大学大学院国際開発研究科修士課程修了、2003年香港大学教育学系Ph.D.(Doctor of Philosophy) 取得。現在、東京大学大学院総合文化研究科教授。著書に『貧者を喰らう国』（新潮選書）、『超大国・中国のゆくえ 5　勃興する「民」』（共著、東京大学出版会）、『香港 あなたはどこへ向かうのか』（出版舎ジグ）他多数。

麻生晴一郎（あそう・せいいちろう）＝第七章・第九章

1966年生まれ。東京大学国文科在学中、中国ハルビン市において行商人用の格安宿でアルバイト生活を体験、農村出身の出稼ぎ労働者との交流を深める。テレビディレクターなどを経て、現在はフリーのルポライター。中国の草の根の市民社会形成などを伝えている。またNPO「AsiaCommons 亜洲市民之道」を運営し、中国内陸部から市民活動家を招く「日中市民交流対話プロジェクト」を開催している。主な単著に『北京芸術村』（社会評論社）、『旅の指さし会話帳』（情報センター出版局）、『こころ熱く武骨でうざったい中国』（情報センター出版局）、『反日、暴動、バブル』（光文社新書）、『中国人は日本人を本当はどう見ているのか？』（宝島社新書）、『変わる中国「草の根」の現場を訪ねて』（潮出版社）、共著に『艾未未読本』（集広舎）、『「私には敵はいない」の思想』（共著、藤原書店）、『負の世界記憶遺産　文革受難死者850人の記録』（集広舎）他。

現代中国の精神史的考察

繁栄のなかの危機

二〇二三年 八 月二〇日 印刷
二〇二三年 九 月一〇日 発行

著者 © 栄剣
監訳者 © 石井知章
阿古智子
麻生晴一郎
及川淳子
訳者 © 大熊雄一郎
古畑康雄
村上太輝夫
劉燕子
発行者 岩堀雅己
印刷所 株式会社理想社
発行所 株式会社白水社

東京都千代田区神田小川町三の二四
電話 営業部〇三（三二九一）七八一一
編集部〇三（三二九一）七八二一
振替 〇〇一九〇-五-三三二二八
郵便番号 一〇一-〇〇五二
www.hakusuisha.co.jp

乱丁・落丁本は、送料小社負担にてお取り替えいたします。

誠製本株式会社

ISBN978-4-560-09483-9
Printed in Japan